Babka gaunerka

David Walliams

Babka
gaunerka

Ilustroval Tony Ross

slovart

First published in hardback in Great Britain
Text © David Walliams 2011
Illustrations © Tony Ross 2011
Translation © Michaela Hajduková 2013
Slovak edition © Vydavateľstvo SLOVART, spol. s r. o.,
Bratislava 2013

ISBN 978-80-556-0786-3

Pre Philipa Onyanga,

najstatočnejšieho malého chlapca,

akého som v živote stretol.

1

Kapustová voda

„Ale keď babka je straaaašne nudná," povedal Ben. Bol piatok, chladný novembrový večer, a on sedel ako zvyčajne na zadnom sedadle auta svojich rodičov. Opäť ho viezli na noc do príšerného babkinho domu. „Všetci starí ľudia sú takí."

„Nehovor tak o babke," potichu sa ozval otec s bruchom prilepeným na volant malého hnedého autíčka.

„Neznášam, keď u nej musím byť," protestoval Ben. „Nefunguje jej telka, stále by len hrala scrabble a smrdí ako kapusta."

„Aby sme chlapcovi nekrivdili, fakt smrdí ako kapusta," súhlasila mama a narýchlo si maľovala pery kontúrovacou ceruzkou.

„Veľmi ma nepodporuješ, žena moja," zamrmlal oco. „Mamu prinajhoršom jemne cítiť varenou zeleninou."

„Nemôžem ísť s vami?" prosíkal Ben. „Ja tie spoločné tance, či ako sa volajú, priam zbožňujem," zaklamal.

„Volajú sa spoločenské," opravil ho otec. „A nezbožňuješ ich. Povedal si, a to citujem – Radšej by som zjedol vlastný šušeň, ako pozeral tú blbosť."

Benovi rodičia boli zo spoločenských tancov úplne hotoví. Občas sa mu zdalo, že tanec majú radšej ako jeho. V telke dávali každú sobotu tanečný program, ktorý sa volal *Let's Dance*. Tancovali v ňom známe osobnosti s profesionálnymi tanečníkmi a mama s otcom si ho nikdy nedali ujsť.

Ben mal podozrenie, že keby u nich doma vy-pukol požiar a mama by mala na výber, či zachráni ligotavú zlatú tanečnú topánku Flavia Flavioliho (nablýskaného opáleného lámača ženských sŕdc z Talianska, ktorý tancoval vo všetkých sériách relácie), alebo vlastné dieťa, pravdepodobne by sa rozhodla pre topánku. Dnes išli mama s otcom na priamy prenos *Let's Dance.*

„Nechápem, prečo už neprestaneš myslieť na tie potrubia a sen byť inštalatérom a ne-začneš sa profesionálne venovať tancu," po-vedala mama, pričom si kontúrkou na pery urobila čiaru cez celé líce, lebo auto prešlo cez poriadne vypuklý retardér. Mama sa vždy líčila v aute, a preto sa často stávalo, že keď niekam prišla, vyzerala ako klaun. „Možno, na-

ozaj iba možno, by si potom raz mohol skončiť v *Let's Dance*!" dodala nadšene.

„Lenže to poskakovanie je hrozne trápne," namietol Ben.

Mama si povzdychla a natiahla sa po vreckovku.

„Len hneváš mamu. Buď už, prosím ťa, ticho a správaj sa slušne," povedal ostro otec a pridal zvuk na prehrávači. Jasné, že hralo cédečko z *Let's Dance*. Na obale bolo ozdobným písmom napísané *50 najväčších hitov Let's Dance*. Ben to cédečko nenávidel, pretože ho počul už miliónkrát. Počul ho už vlastne toľkokrát, že to preňho boli priam muky.

Benova mama pracovala v miestnom nechtovom štúdiu zvanom Gail. Do štúdia nechodilo veľa zákazníčok, a tak si mama so svojou kolegyňou, ktorá sa, čuduj sa svete, volala Gail, väčšinu času upravovali nechty navzájom. Leštili, čistili, pilníkovali, zvlhčovali, lakovali, vypĺňali, predlžovali a maľovali. Tejto činnosti sa venovali celý deň, ak práve nebol v telke Flavio Flavioli. Mama teda chodievala domov s dlhokánskymi rôznofarebnými umelými nechtami.

Benov otec bol pracovník bezpečnostnej služby v miestnom supermarkete. Najväčším výkonom za dvadsať rokov jeho kariéry bolo dolapenie starého pána, ktorý si do nohavíc ukryl dve balenia margarínu. On sám bol síce príliš tučný na to, aby za zlodejmi utekal, ale zato im vedel telom zahatať únikovú cestu. Rodičia sa spoznali, keď otec mamu neprávom obvinil z krádeže čipsov, a do roka sa vzali.

Autíčko odbočilo na Grey Close, ulicu, kde stál babkin domček. Bol to taký malý smutný domček, v akom obyčajne žijú starí ľudia.

Auto zabrzdilo a Ben sa pomaly pozrel k domu. Babka ho už vyzerala z obývačkového okna. Čakala. A čakala. Celý čas vyčkávala pri okne, kedy príde. *Odkedy tam trčí?* rozmýšľal Ben. *Od minulého týždňa?*

Ben bol jej jediný vnuk, a pokiaľ vedel, okrem neho ju nenavštevoval nikto.

Babka mu zakývala a on sa neochotne usmial, ale len natoľko, nakoľko mu to dovolil mrzutý výraz.

„Takže zajtra dopoludnia okolo jedenástej ťa ja alebo mama vyzdvihneme," otec ani nevypol motor.

„Nedalo by sa o desiatej?"

„Ben!" zavrčal otec. Odistil detskú poistku a Ben s odporom otvoril dvere a vystúpil. Samozrejme, že nepotreboval detskú poistku, veď už mal jedenásť rokov a bolo dosť nepravdepodobné, že by počas jazdy otváral dvere. Podozrieval ocka, že ju používa len preto, aby mu po ceste k babke nevyskočil. Dvere sa zabuchli a motor nabral na otáčkach.

Babka otvorila, skôr ako stihol zazvoniť. Bena

ovalil strašný zápach kapusty. Bolo to ako obrov-
ská facka smradu.

Vyzerala ako typická babka:

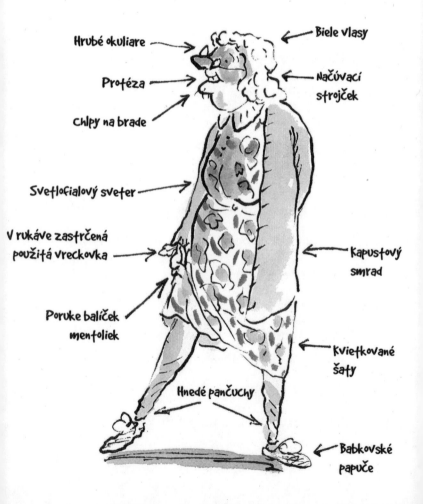

Hrubé okuliare

Protéza

Chlpy na brade

Svetlofialový sveter

V rukáve zastrčená
použitá vreckovka

Poruke balíček
mentoliek

Hnedé pančuchy

Biele vlasy

Načúvací
strojček

Kapustový
smrad

Kvietkované
šaty

Babkovské
papuče

„Maminka a ocinko nejdú ďalej?" vyzvedala trochu zronene. Bola to jedna z vecí, ktoré na nej Ben nemohol vystáť: vždy s ním hovorila, akoby bol bábätko.

Dŕŕŕŕn-dŕŕŕŕŕŕŕŕrŕŕn-dŕŕŕŕŕŕŕŕŕŕŕŕŕŕŕŕŕŕŕŕn.

Babka a Ben sa dívali na odchádzajúce hnedé autíčko poskakujúce na retardéroch. Mama s otcom s ňou netrávili čas o nič radšej ako on. Bolo však pre nich pohodlné odložiť ho sem každý piatok večer.

„Nie, ehm... prepáč, babi..." zamrmlal Ben.

„Tak teda poď," zašomrala. „Rozložila som scrabble, pripravila som ti čaj a mám tvoju obľúbenú... kapustovú polievku."

Ben sa zachmúril ešte viac. *Nieeeeeeeeeeeeeeeeeeeeeeeeeeee!* pomyslel si.

2

Ako keď kváka kačica

Onedlho sedeli babka a vnuk oproti sebe v hrobovom tichu za jedálenským stolom. Ako každý piatok.

Keď rodičia nepozerali *Let's Dance*, išli na večeru alebo do kina. V piatok mali vždy „rande", a odkedy sa Ben pamätá, vždy ho nechávali u babky. Keď nešli na predstavenie *Let's Dance*, vybrali sa do Tádž Mahalu (čo je indická reštaurácia na hlavnej ulici, jasné, že nie ten starobylý mramorový monument v Indii) a zjedli toľko indických placiek, koľko sami vážili.

V babkinom dome bolo počuť len tikot ho-
dín na rímse kozuba, cinganie kovových lyžíc
o porcelánové taniere a občas pískanie pokaze-
ného babkinho načúvacieho strojčeka. Bolo to
zariadenie, ktoré zjavne nebolo určené na to, aby
pomáhalo babke prekonať hluchotu, ale aby ju
spôsobilo iným.

A to na babke nenávidel najviac. Okrem toho
ešte neznášal aj toto všetko:

1. Babka zvykla napľuť do použitej vreckovky,
   ktorú nosila v rukáve, a utierať ňou vnukovi
   tvár.

2. Telku mala pokazenú od roku 1992. Dnes
   už na nej bola vrstva prachu ako huňatá
   kožušina.

3. Dom mala plný kníh a vždy sa snažila Bena presvedčiť, aby ich čítal, hoci on čítanie z duše nenávidel.

4. Babka nástojila, aby nosil ťažký zimný kabát po celý rok, ešte aj keď bola vonku páľava, inak „by si ho neužil".

5. Páchla kapustou. (Človek, ktorý má alergiu na kapustu, by sa k nej nemohol priblížiť ani na desať kilometrov.)

6. Babkina predstava o vzrušujúcom výlete spočívala v kŕmení kačiek kdesi na rybníku starými plesnivými zvyškami chleba.

7. Stále prdela a ani sa len neunúvala vopred na to upozorniť.

8. Jej prdy nesmrdeli kapustou, ale zhnitou kapustou.

9. Babka od Bena chcela, aby chodil spať tak skoro, že sa mu ani neoplatilo vstávať.

10. Svojmu jedinému vnukovi plietla na Vianoce pulóvre so šteniatkami a mačiatkami, ktoré ho rodičia potom vždy nútili nosiť celé sviatky.

„Ako ti chutí polievka?" opýtala sa babka.

Ben miešal svetlozelenú tekutinu vo vyštrbenej miske už asi desať minút a dúfal, že sa vyparí. Ale nedarilo sa mu.

Aj tak už bola studená.

Chladné kúsky kapusty plávali v studenej kapustovej vode.

„Je vynikajúca, ďakujem," odvetil.

„Dobre."

Tik-tak, tik-tak.

„Dobre," opäť sa ozvala stará pani.

Cink. Cink.

„Dobre." Zdalo sa, že pre babku je táto konverzácia rovnako ťažká ako pre neho.

Cink, cink. Písk.

„A čo škola?" opýtala sa.

„Nuda," zamrmlal Ben. Dospelí sa detí vždy pýtajú na školu. Na to, čo deti z duše nenávidia. O škole sa človeku nechce hovoriť dokonca ani vtedy, keď je v škole.

„Ach," ozvala sa babka.

Tik-tak, cink cink, písk, tik-tak.

„Musím ísť skontrolovať rúru," povedala babka po dlhej pauze, ktorá sa natiahla na ešte dlhšiu pauzu. „Pečiem tvoje obľúbené kapustníky."

Pomaly sa postavila a pobrala sa do kuchyne. Pri každom kroku jej zvesený zadok vypustil vzduchovú bublinku. Znelo to, ako keď kváka kačica. Buď si to neuvedomovala, alebo vedela veľmi dobre predstierať, že o tom nevie.

Ben ju pozoroval a potom sa potichu odplížil na opačný koniec izby. Nebolo to jednoduché, pretože všade sa povaľovali kopy kníh. Benova babka knihy ZBOŽŇOVALA a vždy mala nejakú rozčítanú. Boli poukladané v policiach, naskladané na parapetoch alebo ležali na kôpkach v kútoch.

Najradšej mala detektívky. Knihy o gauneroch, lupičoch, mafii a tak. Ben si nebol celkom istý, aký je rozdiel medzi zlodejom a gaunerom, ale mal pocit, že gauner je oveľa horší.

Ben čítanie nenávidel, ale rád si obzeral obálky babkiných kníh. Boli na nich výrazne namaľované rýchle autá, zbrane a atraktívne ženy. Nemohol uveriť, že táto stará nudná babka rada číta príbehy, ktoré vyzerajú tak vzrušujúco.

Prečo je taká posadnutá gaunermi? rozmýšľal Ben. *Veď tí nežijú v malých domčekoch. Nehra-*

jú scrabble. A pravdepodobne ani nesmrdia od kapusty.

Ben čítal dosť pomaly, a keďže v škole nestíhal, učitelia ho považovali za hlupáka. Riaditeľka mu dokonca nariadila, aby opakoval ročník, lebo dúfala, že sa v čítaní zlepší. A dopadlo to tak, že všetci jeho kamoši chodili do inej triedy a on sa v škole cítil taký sám ako doma s rodičmi, ktorých zaujímali len spoločenské tance.

Po prekonaní nebezpečnej prekážky, keď takmer zakopol o hŕbu skutočných príbehov zo zločineckého prostredia, sa Ben dostal ku kvetináču v kúte. Rýchlo doňho vylial zvyšok polievky. Rastlina už aj tak vyzerala na skapanie, a ak ešte nebolo po nej, babkina studená kapustová polievka ju určite odrovná.

Vtom začul kvákať babkin zadok na ceste do izby, a tak sa rýchlo vrátil na miesto. Sedel a s prázdnou miskou a lyžicou v ruke sa snažil tváriť čo najnevinnejšie. „Už som dojedol, ďakujem, babi. Bolo to výborné."

„To som rada," babka sa doterigala k stolu a na podnose doniesla veľkú polievkovú misu. „Mám jej tu pre teba ešte dosť, chlapče!" A s úsmevom mu pridala.

Ben s hrôzou preglgol.

3

Časopis *Inštalatér*

„Neviem nájsť *Inštalatéra*, Raj," rozhorčoval sa Ben.

Nasledujúci piatok prehľadával regály miestneho stánku s novinami a časopismi. Nikde nevidel svoj obľúbený časopis. Bol to týždenník o profesionálnych inštalatérskych veciach. Bena lákali strany o potrubí, kohútikoch, záchodových nádržkách, splachovačoch, bojleroch, nádržiach a odpadoch. Tento časopis bol jediné, čo dokázal prečítať, najmä preto, že tam bola hromada obrázkov a schém.

Ben mal inštalatérstvo rád, odkedy vedel nie-
čo udržať v ruke. Keď sa iné deti hrali vo vani
s kačičkami, Ben poprosil rodičov, aby mu dali
kúsok potrubia, a zostrojil prepracovaný systém
na rozvádzanie vody. Keď sa im doma pokazil vo-
dovodný kohútik, opravil ho. Keď sa im upchal
záchod, nebol zhnusený, ale nadšený.

Rodičia však jeho sen o inštalatérstve neschva-
ľovali. Chceli, aby bol slávny a bohatý, a inštalatéri
predsa slávni ani bohatí nebývajú. Ben síce neve-
del dobre čítať, ale bol veľmi zručný, a keď k nim
prišiel inštalatér opraviť potrubie, totálne ho to
fascinovalo. Sledoval ho s takým úžasom, ako
mladý lekár úspešného chirurga na operačnej sále.

Cítil však, že sú z neho mama a otec sklamaní.
Veľmi chceli, aby dokázal, čo sa im samým nikdy
nepodarilo, a stal sa profesionálnym tanečníkom.
Benovi rodičia v sebe objavili vášeň pre tanec

príliš neskoro na to, aby sa mu mohli venovať naplno. A, pravdupovediac, veľmi sa im nechcelo dvíhať zadky a tancovať, radšej ich uvelebili pred telku a len sa pozerali.

Tak sa Ben rozhodol svoju vášeň tajiť. Aby sa rodičov nedotkol, ukrýval čísla *Inštalatéra* na kôpke pod posteľou. S Rajom bol dohodnutý, že mu každý týždeň odloží jeden výtlačok. Dnes ho však nemohol nájsť.

Hľadal ho pod *Rockom*, pod *Live*, a dokonca aj pod *Marianne* (nie pod živou *Marianou*, ale pod časopisom, ktorý sa volá *Marianne*) a nič. Raj mal v obchode hrozný neporiadok, ale chodili k nemu ľudia zďaleka, lebo im vždy zlepšil náladu.

Raj stál na rebríku a vešal vianočné ozdoby. Napísal som síce „vianočné ozdoby", ale v skutočnosti vešal nápis „Všetko najlepšie". Zabielil zvyšok nápisu „k narodeninám" a perom naň dopísal „k Vianociam".

Pomaly zišiel z rebríka, aby Benovi pomohol.

„Tvoj *Inštalatér*... hmmm... počkaj, porozmýšľam. Pozeral si sa medzi karamelkami?" opýtal sa Raj.

„Áno," odpovedal Ben.

„A nie je ani pod maľovankami?"

„Nie."

„Skontroloval si aj gumové cukríky?"

„Áno."

„No, to je veľká záhada. Viem, že som ti jeden výtlačok objednával, Ben. Hmm, veľká záhada..." Raj hovoril veľmi pomaly, akoby premýšľal. „Je mi to ľúto, Ben, viem, že máš ten časopis veľmi rád, no nemám ani poňatia, kde je. Ale zato mám špeciálnu ponuku na cornettá."

„Je november, Raj, vonku mrzne," poznamenal Ben. „Kto by si teraz kupoval zmrzlinu?"

„Všetci, keď sa dozvedia o mojej špeciálnej ponuke. Veď uznaj, keď si kúpiš dvadsaťtri kusov, dvadsiaty štvrtý dostaneš zadarmo."

„Načo by mi, preboha, bolo dvadsaťštyri cornett?" zasmial sa Ben.

„Ehm, noo, neviem, mohol by si ich dvanásť zjesť a ďalších dvanásť by si si odložil na neskôr."

„To je strašne veľa, Raj. Prečo sa ich chceš tak veľmi zbaviť?"

„Zajtra im končí záruka." Raj sa hrnul k mrazničke, odsunul sklený príklop a vytiahol celý kartón čokoládových zmrzlín. Obchod okamžite zahalil chladný opar. „Pozri. *Spotrebujte do 15. novembra.*"

Ben si prezrel škatuľu: „Je tu napísané do 15. novembra 1996."

„No vidíš," trval na svojom Raj. „Ďalší dôvod predávať ich so zľavou. Dobre, Ben. Toto je moja

posledná ponuka. Ak si zoberieš jednu škatuľu, dám ti ďalších desať úplne zadarmo."

„Fakt ďakujem, Raj," odmietol Ben. Nakúkal do mrazničky, čo tam ešte má. Ešte nikdy nebola odmrazená a Bena by neprekvapilo, keby tam našiel zmrazeného mamuta z doby ľadovej.

„Počkajte," zodvihol niekoľko nanukov oblepených ľadom. „Tu je! Môj *Inštalatér*!"

„Aha, jasné, už som si spomenul," potešil sa Raj. „Dal som ti ho do mrazničky, aby bol čerstvý."

„Čerstvý?" začudoval sa Ben.

„Nuž, mladý muž, časopis vychádza v utorok a dnes je piatok. Tak som ti ho dal do mrazničky, aby zostal čerstvý a nezostarol."

Ben nechápal, ako môže časopis zostarnúť, ale aj tak sa Rajovi poďakoval. „Je to od teba veľmi milé, Raj. A vezmem si ešte aj balíček čokoládových bonbónov."

„Dám ti sedemdesiattri balíčkov za cenu sedemdesiatich dvoch," lákal ho predavač s úsmevom.

„Nie, ďakujem, Raj."

„A tisíc balíčkov bonbónov za cenu deväťsto deväťdesiatich deviatich?"

„Nie, ďakujem."

„Ty si blázon, Ben. To je vynikajúca ponuka. Dobre, dobre, nech je po tvojom. Milión sedem balíčkov za cenu milióna štyroch. To máš tri balíčky úplne zadarmo."

„Vezmem si len jeden a ten časopis, ďakujem."

„Samozrejme, mladý muž."

„Už sa neviem dočkať, kedy si ho budem môcť prečítať. Znova musím stráviť celý večer s mojou nudnou starou babkou."

Od poslednej návštevy uplynul už týždeň a opäť tu bol obávaný piatok. Rodičia dnes podľa maminých slov mali ísť do kina na „slaďák". Romantika, bozky a všetko, čo k tomu patrí. Samé nechutnosti, bŕŕŕ.

„Ale, ale, ale!" potriasol Raj nesúhlasne hlavou, keď mu vydával drobné.

Ben sa zahanbil. Predavač podobné gesto ešte nikdy neurobil. Ben, rovnako ako všetky deti z ich mesta, považoval Raja za spriaznenú dušu. Bol taký optimistický a usmievavý, akoby ani nepatril do sveta rodičov, učiteľov a ďalších dospelých, ktorí si myslia, že na teba môžu kričať len preto, že sú väčší ako ty.

„To, že je babka stará, Ben," poúčal ho Raj, „neznamená, že je nudná. Aj ja trochu starnem. A vždy, keď vidím tvoju babku, zdá sa mi veľmi zaujímavá."

„Ale..."

„Nebuď na ňu taký prísny, Ben," presviedčal

ho Raj. „Všetci raz zostarneme, aj ty. A som si istý, že aj tvoja babka má svoje tajomstvá. Starí ľudia ich mávajú...“

4

Tajomstvá a senzácie

Ben si vôbec nebol istý, či Raj hovorí o babke pravdu. Večer išlo všetko po starom. Babka mu uvarila kapustovú polievku, po nej nasledoval kapustník a ako dezert mu naservírovala kapustovú penu. A niekde vyhrabala ešte aj čokoládu s príchuťou kapusty[1]. Po večeri si Ben a babka ako vždy sadli na zatuchnutý gauč.

„A teraz si dáme scrabble!" zvolala babka.

---

[1] Čokoláda s kapustovou príchuťou vôbec nie je taká chutná, ako to znie, a, povedzme si na rovinu, neznie to najlepšie.

Skvelé, pomyslel si Ben. *Dnes to bude ešte miliónkrát nudnejšie ako minulý týždeň!*

Ben scrabble nenávidel. Keby mohol, zostrojil by raketu, a vystrelil by všetky scrabble na svete do vesmíru. Babka vytiahla zo skrine zaprášenú starú škatuľu a na taburetke rozložila hraciu dosku.

Ben si vzdychol.

O niekoľko hodín, ktoré trvali desaťročia, Ben zízal na svoje písmená a potom na dosku. Už zostavil slová:

NUDNÝ

STARÝ

KVAK (hodnota slova sa zdvojnásobuje)

NEZMYSELNÝ

PRDĽAVKA (toto slovo ešte treba skontrolovať v slovníku)

VRÁSKY

KAPUSTOFÓB (hodnota slova sa strojná-
sobuje)

ÚTEK

POMOC

NENÁVIDÍMTÚTOHLÚPUHRU (Bab-
ka mu to nechcela uznať, že to vraj nie je jedno
slovo.)

Mal písmená A, V, R, A a O. Babka práve zosta-
vila slovo MENTOLKY (jeho hodnota sa zdvoj-
násobuje), a tak Ben použil jej T a vytvoril slovo
OTRAVA.

„Tak, a už je skoro osem hodín, mladý muž,"
pozrela sa babka na malé zlaté hodinky. „Myslím,
že treba ísť hajkať..."

Ben si v duchu povzdychol. *Hajkať!* Preboha,
veď už nie je žiadne batoľa.

„Ale doma chodím spať až po deviatej!" protestoval. „A keď sa nejde do školy, tak až po desiatej."

„Nie, Ben. Choď si pekne ľahnúť." Keď babka chcela, vedela byť poriadne neústupčivá. „A nezabudni si umyť zuby. Ja som hneď pri tebe a porozprávam ti rozprávku. Vždy si ich mal rád."

O chvíľu stál Ben v kúpeľni pri umývadle. Bola to vlhká chladná miestnosť bez okien. Pár obkladačiek už odpadlo. Ležal tam len malý rozstrapkaný uterák a používané mydlo, ktoré vyzeralo ako puding.

Ben si zuby neumýval rád. A tak to len predstieral. Je to veľmi jednoduché. Nepriznajte sa rodičom, že som o tom písal, ale ak si to chcete vyskúšať, postupujte podľa tejto praktickej príručky:

1. Otvorte vodovodný kohútik.

2. Navlhčite zubnú kefku.

3. Vytlačte na prst trocha zubnej pasty a prst vopchajte do úst.

4. Jazykom si pastu rozotrite v ústach.

5. Vypľujte.

6. Zatvorte kohútik.

Vidíte? Je to veľmi jednoduché. Skoro také, ako keď si umývate zuby.

Ben sa pozrel do zrkadla. Mal jedenásť rokov, ale bol nižší, ako by chcel, preto sa na chvíľu postavil na špičky. Veľmi túžil byť vyšší.

Mať tak len o pár rokov viac, pomyslel si, bol by vyšší, chlpatejší, mal by viac vyrážok a jeho piatkové večery by vyzerali úplne inak.

Nemusel by chodiť k starej nudnej babke. Namiesto toho by sa venoval všetkým tým vzrušujúcim veciam, ktoré v piatok večer robievajú staršie deti:

Postával by so skupinkou kamošov pred večierkou a čakali by, kým im niekto nevynadá.

Alebo by vysedával na autobusovej zastávke s dievčatami v teplákoch, žuli by žuvačky a vôbec by nečakali na autobus.

Áno, bol by to svet tajomstiev a zázrakov.

Ale teraz musel ísť spať, aj keď bolo vonku ešte svetlo a v neďalekom parku bolo počuť chalanov hrať futbal. Bol čas ísť do tvrdej malej postele vo vlhkej izbietke v babkinom ošarpanom domčeku, kde smrdela kapusta.

A nie trošku.

Smrdela strašne.

Povzdychol si a šuchol sa pod paplón.

Ihneď nato babka opatrne otvorila dvere spálne. Rýchlo zavrel oči a predstieral, že spí. Dopotácala sa pomaličky k posteli a Ben cítil, že stojí nad ním.

„Chcela som ti porozprávať rozprávku," pošepkala. Keď bol mladší, často mu rozprávala príbehy o pirátoch, pašerákoch a vynikajúcich zločincoch, ale teraz už bol na také nezmysly pristarý.

„Škoda, že už spíš," povzdychla si. „Len som ti chcela povedať, že ťa mám veľmi rada. Dobrú nôcku, môj malý Beny."

Nenávidel, keď ho volali *Beny*.

A *malý!*

Nočná mora pokračovala, keď cítil, že sa k nemu približuje a chce ho pobozkať. Ostré chlpy na babkinej brade ho nepríjemne šteklili na tvári. Potom začul známe rytmické kvákanie – to pri každom kroku zakvákal jej zadok. Odkvákala ku dverám a potom ich zavrela, aby z izby náhodou neunikol smrad.

Mám to, pomyslel si Ben. *Musím utiecť.*

5

Trochu skľúčene

„*Chhhhhhhhhhhhhhhhhhhh*... *ppppppp*
ppšššššššššššššš... *chhhhhhhhhhhh*...
*ppppppppppp*šššššššššššššššš*ffffffffff*...*"

Nie, milí čitatelia, nekúpili ste si omylom pre-
klad knižky do svahilčiny. Je to zvuk, na ktorý Ben
čakal.

Babka chrápala.

Zaspala.

„*Chhhhhhhhhhhhhhhhhhhh*... *ppppppp*
*ppp*šššššššššššššš... *chhhhhhhhhhhh*...
*ppppppppppp*šššššššššššššššš*ffffffffff*...*"

Ben sa vykradol z izby a vybral sa k telefónu na chodbe. Bol to starý telefón, ktorý pri vytáčaní čísel priadol ako mačka.

„Mami?" zašepkal.

„JA ŤA SKORO VÔBEC NEPOČUJEM!" kričala zo slúchadla mama. V pozadí hral nahlas džez. Mama s otcom boli znova na živom vystúpení *Let's Dance*. Mama zrejme slintala, pretože Flavio Flavioli vrtel bokmi a lámal srdcia tisícok žien v jej veku. „Čo sa deje? Je všetko v poriadku? Dúfam, že tá stará rašpľa nezomrela."

„Nie, je v poriadku, ale ja to tu neznášam. Nemôžete prísť po mňa? Prosím," šepkal Ben.

„Flavio ešte nedotancoval ani druhý tanec."

„Prosím," žobronil. „Chcem ísť domov. S babkou je strašná nuda. Tráviť s ňou čas sú hotové muky."

„Opýtaj sa ocka." Ben počul tlmený zvuk. To mama podávala telefón otcovi.

„HALÓ?" kričal oco.

„Hovor, prosím ťa, tichšie."

„ČO?" znova zvreskol oco.

„Psssst. Hovor tichšie. Zobudíš babku. Nemôžete prísť po mňa, oci? Prosím. Neznášam to tu."

„Nie, nemôžeme. Toto je zážitok na celý život."

„Veď ste ho mali aj minulý piatok!" protestoval Ben.

„Tak ďalší zážitok na celý život."

„A povedali ste, že pôjdete aj na budúci týždeň."

„Počúvaj ma, chlapče, ak budeš drzý, môžeš u nej zostať až do Vianoc. Maj sa."

A otec zložil. Ben opatrne položil slúchadlo na miesto a telefón potichučky cinkol.

Zrazu zistil, že babka už nechrápe.

Všetko to počula? Obzrel sa a zdalo sa mu, že videl jej tieň, ktorý vzápätí zmizol.

Podľa Bena síce bola hrozne suchopárna, ale aj tak nechcel, aby o tom vedela. Koniec koncov, bola to osamelá stará vdova, jej manžel zomrel oveľa skôr, ako sa Ben narodil. Ben sa s pocitom viny vrátil do izby a len čakal, čakal a čakal na ráno.

Pri raňajkách sa babka správala inak.

Bola tichšia. Vyzerala akosi staršie. Trochu skľúčene.

Oči mala opuchnuté, ako keby plakala.

Počula to? rozmýšľal Ben. *Dúfam, že nie.*

Sedel za malým kuchynským stolom a babka stála pri šporáku. Predstierala, že sa pozerá na kalendár, ktorý mala pripnutý nad šporákom. Ben si myslel, že to len hrá, lebo v kalendári nebolo nič zaujímavé.

Len typický týždeň v babkinom hektickom živote:

Pondelok: Uvariť kapustovú polievku. Hrať scrabble sama so sebou. Čítať knihu.

Utorok: Upiecť kapustníky. Prečítať ďalšiu knihu. Prdieť.

Streda: Uvariť jedlo zvané čokoládové prekvapenie. Prekvapenie spočíva v tom, že vôbec neobsahuje čokoládu. Je v ňom vlastne len kapusta.

Štvrtok: Celý deň cmúľať mentolku. (Jednu mentolku by asi dokázala cmúľať pokojne aj celý život.)

Piatok: Pokračovať v cmúľaní mentolky. Návšteva úžasného vnuka.

Sobota: Úžasný vnuk odchádza. Znova si pekne posedieť. Fúú, to je ale únavné!

Nedeľa: Dať si praženú kapustu s dusenou kapustou a ako prílohu varenú kapustu. Celý deň prdieť.

Babka sa nakoniec otočila od kalendára. „Tvoja mamička a ocko prídu už čoskoro," prerušila nakoniec ticho.

„Áno," povedal Ben a pozrel sa na hodinky. „Už len pár minút."

Minúty akoby trvali hodiny. Dokonca dni. Mesiace.

Minúta môže trvať dlho. Neveríte? Tak si sad-
nite do prázdnej izby a nerobte nič, len rátajte do
šesťdesiat.

Už ste to urobili? Neverím. Nežartujem. Na-
ozaj chcem, aby ste to urobili.

Kým nepôjdete rátať, nebudem pokračovať
v príbehu.

Mne to môže byť jedno.

Ja mám čas celý deň.

Tak čo, už ste dorátali? V poriadku. Tak sa
vráťme k Benovi a jeho babke...

Hnedé autíčko zastalo pred babkiným domom
pár minút po jedenástej. Mama nechala bežať
motor, akoby to bolo auto, na ktorom majú unik-
núť bankoví lupiči. Natiahla sa a otvorila dvere
spolujazdca, aby Ben rýchlo nastúpil a aby hneď
aj odfrčali.

Keď sa šuchtal k autu, babka stála vo vchodových dverách. „Nedáš si so mnou čaj, Linda?" zakričala.

„Nie, vďaka," povedala mama. „Rýchlo, Ben. Nasadni už, preboha." Pridala otáčky. „Nechcem sa rozprávať s tou starenou."

„Psstt!" zasyčal Ben. „Veď ťa začuje."

„Myslela som, že babku nemáš rád," povedala mama.

„To som nepovedal, mami. Povedal som, že je nudná. A nechcem, aby o tom vedela."

Keď odchádzali z babkinej ulice, mama sa zasmiala. „Ja by som sa tým netrápila, Ben. Tvoja babka je dosť mimo. Polovicu toho, čo hovoríš, zrejme vôbec nechápe."

Ben sa zachmúril. Nebol si tým úplne istý. Vôbec si nebol istý. Spomenul si na babkinu tvár pri raňajkách. Zrazu ho premkol hrozný pocit, že toho chápe oveľa viac, ako si myslí...

6

Studené slizké vajce

Keby si Ben so sebou nezobral časopis, bol by tento piatkový večer rovnako neuveriteľne nudný ako minulý. Otec a mama ho znova odložili k babke.

Ihneď po príchode sa pobral do svojej studenej a vlhkej izby, zavrel za sebou dvere a prečítal *Inštalatéra* do posledného písmenka. Bola tam skvelá príručka na inštaláciu kombinovaných bojlerov novej generácie s množstvom farebných fotografií. Ben si zahol rožtek strany. Už vedel, čo by chcel na Vianoce.

Dočítal časopis, povzdychol si a pobral sa do obývačky. Vedel, že celý večer v izbe zostať nemôže.

Keď ho babka uvidela, usmiala sa. „Dáme si scrabble!" vykríkla radostne s hracou doskou v ruke.

Na druhý deň ráno bolo v dome dusno.

„Ešte jedno vajíčko namäkko?" opýtala sa, keď sedeli v ošumelej starej kuchynke.

Ben vajcia namäkko nemal rád a ešte nedojedol ani prvé. Babka dokázala sprotiviť človeku dokonca aj jedlo. Vajíčko robila vždy príliš tekuté a hrianky spálené na uhoľ. Keď sa nepozerala, Ben vystrelil tekuté vajce von oknom a hrianky strčil za radiátor. Musí ich tam byť už celá kopa.

„Nie, babi. Som totálne plný," povedal Ben.

„Tie vajíčka namäkko sú vynikajúce, ďakujem,"
dodal.

„Uhhmm," zamrmlala nepresvedčivo bab-
ka. „Je tu trochu chladno, idem si dať ešte je-
den sveter," povedala, aj keď mala na sebe už
dva. Šuchtala sa von z izby a popritom kvákavo
prdela.

Ben vyhodil von oknom zvyšok vajíčka a po-
tom sa pokúsil nájsť nejaké iné jedlo. Vedel, že
babka má na vrchnej polici v kuchyni tajnú zá-
sobu čokoládových sušienok. Raz mu jednu dala
na narodeniny. Občas, keď bol po babkiných ka-
pustových špecialitách hladný ako vlk, obslúžil sa
aj sám.

Rýchlo posunul stoličku ku kredencu
a postavil sa na ňu, aby dočiahol na sušien-
ky. Zodvihol plechovku. Bola to plechovka
od výberových sušienok z roku 1977 a bol na

nej ošúchaný a vyblednutý obrázok kráľovnej Alžbety II. Bola dosť ťažká. Oveľa ťažšia ako obyčajne.

Čudné.

Ben trocha pootvoril vrchnák. Vnútri to nevyzeralo na sušienky. Zdalo sa, že sú tam celé tony kameňov alebo guľôčok.

Ešte čudnejšie.

Ben odšrauboval vrchnák.

Zízal.

A zízal ešte väčšmi.

Neveril vlastným očiam.

Diamanty! Prstene, náramky, náhrdelníky, náušnice – všetky mali vsadené veľké žiariace diamanty. Diamanty, všade samé diamanty!

Ben nebol žiadny odborník, ale domyslel si, že šperky v plechovke majú hodnotu tisícok, možno aj miliónov libier.

Zrazu počul, ako sa babka kvákavo vracia späť. Narýchlo zakryl plechovku a položil ju späť na policu. Zliezol dole, odvliekol stoličku k stolu a sadol si.

Pozrel do okna a všimol si, že vajíčko nepristalo v záhrade, ale na skle. Keď zaschne, babka ho

odtiaľ dostane len plameňometom. Utekal k oknu, oblizol studené mokré vajce a vrátil sa na miesto. Bolo mu odporné prehltnúť ho, a tak ho v strese držal v ústach.

Babka sa dovliekla do kuchyne v troch svetroch.

„Radšej si obleč kabát, chlapče. Ocko s mamičkou tu budú každú chvíľku," usmiala sa.

Ben zdráhavo prehltol studené slizké vajce. Skĺzlo mu dole hrdlom. Fuj, fuj, fúúúúj. „A je to," vysúkal zo seba, pričom sa mu obrátil žalúdok a on sa bál, že vajíčko skončí znova na okne.

Ako praženica.

7

Vrecia s hnojom

„Môžem dnes spať u babky?" ozvalo sa zo zadné-
ho sedadla hnedého autíčka Benových rodičov.
Tie diamanty v plechovke od sušienok boli také
záhadné! Ben sa strašne chcel zahrať na detektí-
va. A možno aj prehľadať každučký kútik a škár-
ku babkinho domu. Bola to neuveriteľná záhada.
Raj povedal, že babka možno má nejaké tajom-
stvo. A vyzerá to tak, že mal pravdu. Bez ohľadu
na tajomstvo bude určite zaujímavé zistiť, prečo
má tie diamanty. Čo ak je miliardárka? Alebo
pracovala v diamantovej bani? Alebo čo ak jej ich

darovala nejaká princezná? Ben sa už nemohol dočkať, kedy tomu celému príde na kĺb.

„Čo?" opýtal sa totálne prekvapený otec.

„Veď si tvrdil, že je s ňou nuda," povedala mama, tiež dosť udivená, dokonca aj trochu podráždená. „Povedal si, že so všetkými starými ľuďmi je nuda."

„Len som žartoval," odvetil Ben.

Otec si prezeral Bena v spätnom zrkadle. Svojmu synovi posadnutému inštalatérstvom veľmi nerozumel. Teraz mu však nerozumel vôbec. „Hmm, nuž... ak si si istý, Ben..."

„Som si istý, oci."

„Keď prídeme domov, zavolám jej. Len pre istotu, či niekam nešla."

„Či niekam nešla!" uškrnula sa mama. „Veď babka už nevyšla z domu dvadsať rokov," dodala posmešne.

Ben nechápal, prečo sa jej to zdalo smiešne.

„Raz som ju vzal do záhradného centra," protestoval otec.

„Aj to len preto, lebo si potreboval, aby ti niekto pomohol odniesť kopu vriec s hnojom," povedala mama.

„Ale pre ňu to bol parádny výlet," odsekol otec naštvane.

Ben sedel na posteli. Myseľ mu bežala naplno.

Kde len babka vzala tie diamanty?

Akú mali hodnotu?

Prečo by žila v ošarpanom malom domčeku, keby bola taká bohatá?

Ben rozmýšľal a rozmýšľal, ale odpovede na svoje otázky nenachádzal.

Potom do izby vošiel oco.

„Babka má povinnosti. Povedala, že by ťa veľmi rada videla, ale dnes večer niekam ide," oznámil mu.

„Čo?!" vyprskol Ben. Babka chodila von zriedkakedy – veď Ben videl jej kalendár. Záhada začínala byť ešte záhadnejšia.

8

Parochnička v zaváracom pohári

Ben sa ukryl do kríkov za babkiným domom. Kým mama s otcom pozerali na prízemí *Let's Dance*, zliezol zo svojej izby dole po odkvape a na bicykli zdolal osem kilometrov k babkinmu domu.

Táto akcia dokazovala, ako veľmi Bena zaujímalo babkino tajomstvo. Bicykloval nerád. Rodičia mu vždy dohovárali, aby sa viac venoval fyzickej činnosti. Vravievali mu, že ak sa chce stať profesionálnym tanečníkom, musí byť v prvom rade stopercentne fit. Ale keďže pri ležaní pod drezom a skrutkovaní medeného potrubia to je úplne jedno, Ben bol rád, keď sa nemusel venovať žiadnej fyzickej činnosti.

Až doteraz.

Ak babka skutočne išla von prvý raz po dvadsiatich rokoch, musí predsa zistiť kam. Možno vyjde najavo, prečo má v plechovke od sušienok kopu diamantov.

A tak na svojom rozheganom starom bicykli fučal po hrádzi popri kanáli až k babkinej ulici. Bol november, a tak nebol úplne mokrý, len trošku spotený.

Bicykloval rýchlo. Vedel totiž, že nemá veľa času. Pri *Let's Dance* mal väčšinou pocit, že trvá hodiny, či dokonca celé dni, ale cesta k babke trvá pol hodinu, a vedel, že keď tancovanie skončí, mama ho ako vždy bude volať dole na večeru. Benovi rodičia zbožňovali všetky tanečné relácie

– *Hviezdy na ľade*, *Bailando*, ale *Let's Dance* boli úplne posadnutí. Nahrávali si všetky diely a doma mali neprekonateľnú zbierku predmetov, ktoré súviseli so šou, napríklad:

- Svetlozelený tanečný dres, ktorý mal raz na sebe Flavio Flavioli, spolu s fotkou, na ktorej ho má oblečený.
- Záložka do knihy s logom *Let's Dance* z pravej koženky.
- Púder na nohy pre športovcov podpísaný tanečnou partnerkou Flavia Flavioliho, profesionálnou tanečnicou a rakúskou kráskou Evou Kreckerovou.
- Štucne Flavia a jeho partnerky.
- CD so skladbami, čo sa takmer použili v šou.

- Parochnička v zaváracom pohári, ktorú mal na hlave moderátor šou Vince Vetchy.

- Maketa Flavia Flavioliho v životnej veľkosti, na ktorej má Flavio okolo úst rozmazaný mamin rúž.

- Vosk do ucha v zaváracom pohári, ktorý patril súťažiacej – poslankyni parlamentu pani Rachel Malicheryovej.

- Silonky s vôňou Evy Kreckerovej.

- Obrázok zadku na servítke, ktorý nakreslil nepríjemný porotca Rudolph Reepatch.

- Súprava stojančekov na vajíčka namäkko s logom *Let's Dance.*

- Polovica tuby chladivého gélu, ktorý použil Flavio Flavioli.

- Figúrka Rudolpha Reepatcha s ohybnými rukami a nohami.

- Kôrka pizze Havaj, ktorú nedojedol Flavio Flavioli (spolu s potvrdením o autenticite podpísaným Evou Kreckerovou).

Bola sobota, čiže po skončení šou mali mať večeru – fazuľky so syrom a s párkom. Otec ani mama nevedeli variť, ale toto jedlo bolo zo všetkých polotovarov, ktoré Benova mama vyťahovala z mrazničky, popichala vidličkou a vopchala na tri minúty do mikrovlnky, jeho najobľúbenejšie. Ben bol hladný a nechcel o večeru prísť, čo znamenalo, že sa musí od babky rýchlo vrátiť. Keby bol pondelok a mali by kuracie lazane, alebo streda, a bola by pizza, alebo dokonca nedeľa a čínsky puding[2], Ben by sa tak neponáhľal.

Stmievalo sa. Bol koniec novembra, začínala byť tma a chladno a Ben sa pri špehovaní babky v kríkoch triasol. *Kam to len môže ísť?* rozmýšľal. *Veď takmer nechodí von.*

V dome sa mihol tieň. Potom sa v okne zjavila babkina tvár a Ben sa rýchlo ukryl. Kríky zašuchotali. *Pssst!* pomyslel si Ben. *Videla ma?*

---

[2] Sieť supermarketov, v ktorej pracuje Benov otec, rada spája kuchyne rôznych krajín do jedného balenia. Tým, že kombinujú jedlá rôznych krajín, sa im možno podarí urovnať spory v rozdrobenom svete. A možno nie.

Po chvíli sa otvorili dvere a vyšla z nich osoba celá v čiernom. Čierny pulóver, čierne legíny, rukavice, ponožky, možno aj čierne nohavičky a podprsenka. Hlavu jej zakrývala čierna kukla, ale Ben podľa zhrbeného postoja vedel, že to je babka. Vyzerala ako postava z obalu kníh, ktoré tak rada čítala. Nasadla na elektrický invalidný vozík a naštartovala.

Kam sa to, preboha, vybrala?

A čo ho trápilo ešte viac, prečo sa obliekla ako nindža?

Ben si oprel bicykel o kríky a pripravil sa na prenasledovanie vlastnej babky.

Toto by mu ani vo sne nenapadlo.

Babka sa na vozíčku držala pri múroch domov ako pavúk, ktorý lezie po kúpeľni a snaží sa zostať v tajnosti. Ben ju čo najtichšie sledoval pešo. Najvyššia rýchlosť, akú mohol vozík dosiahnuť, bola šesť kilometrov za hodinu, a tak jej Ben poľahky stačil. Prefrčala cez cestu a vtom sa otočila, akoby niečo začula. Ben rýchlo vkĺzol za strom.

So zatajeným dychom čakal.

Nič.

Po niekoľkých sekundách vystrčil hlavu spoza stromu a videl, že babka sa už dostala na koniec ulice. Sledoval ju ďalej.

Čoskoro sa dostali k hlavnej ulici. Bola úplne vyľudnená. Podvečer boli všetky obchody pozatvárané a krčmy a reštaurácie ešte neotvorili. Babka sa v svetle pouličných lámp pri jazde k svojmu cieľu vyhýbala vchodom do obchodov.

Zaparkovala a Ben zatajil dych.

Klenotníctvo.

Vo výklade sa jagali náhrdelníky, prstene a hodinky. Keď babka vytiahla z košíka na vozíčku plechovku s kapustovou polievkou, Ben nemo-hol uveriť vlastným očiam. Poobzerala sa, ruku natiahla dozadu a chystala sa hodiť plechovku do výkladu.

„Nieeeeeeee!" vykríkol Ben.

Plechovka babke vypadla z ruky. Skončila na zemi a kapustová polievka sa vyliala na chodník.

„Ben?" zasipela. „Čo tu robíš?"

9

Čierna mačka

Ben stál pred klenotníctvom a zízal na babku celú v čiernom.

„Ben?" nástojila. „Ty ma sleduješ?"

„Ja... ja..." Ben bol v takom šoku, že zo seba nedokázal dostať ani slovo.

„Nuž," povedala, „nech tu už robíš, čo chceš, o chvíľu prídu policajti. Radšej by sme mali zdúchnuť. Nasadaj, rýchlo."

„Ale, ja nemôžem..."

„Ben, máme len tridsať sekúnd. Potom sa zapne bezpečnostná kamera." Ukázala na kameru, ktorá bola upevnená na múre domu hneď vedľa radu obchodov.

Ben vyskočil dozadu na vozík. „Ty vieš, kedy sa zapínajú bezpečnostné kamery?"

„Pche," odvetila babka, „bol by si prekvapený, čo ja všetko viem."

Ben sa jej počas jazdy pozeral na chrbát. Práve videl, ako sa chystá vylúpiť klenotníctvo. Čo by ho mohlo prekvapiť viac? O babke toho zjavne ešte veľa nevedel.

„Drž sa," ozvala sa, „teraz to roztočíme!"

Zúrivo pootočila riadidlami, ale Ben nič necítil. Odfrčali do tmy rýchlosťou asi päť kilometrov za hodinu, a to vážili viac, ako mal vozík predpísané.

„Čierna mačka?" zopakoval Ben. Sedeli už doma v babkinej obývačke. Babka uvarila čaj a ponúkla mu čokoládové sušienky.

„Áno, tak ma volali," odpovedala mu. Bola som najvychytenejšou zlodejkou šperkov na svete."

Benovi v hlave víril milión otázok, až mu išla prasknúť. *Prečo? Kde? Čo? Kedy?* Nevedel, čo sa má pýtať skôr.

„Nevie to nikto, len ty, Ben," nástojila. „Dedko sa to do smrti nedozvedel. Vieš udržať tajomstvo? Nesmieš to povedať nikomu na svete."

„Ale..."

Babke sa v tvári zračil hnev. Oči sa jej zúžili a stmavli ako hadovi, ktorý sa chystá uhryznúť.

„Musíš prisahať!" prikázala mu tak prudko, ako u nej Ben doteraz nezažil. „My zločinci berieme prísahy veľmi vážne. Skutočne veľmi vážne!"

Ben trocha vyľakane preglgol. „Prisahám, že to nikomu nepoviem."

„Ani ockovi, ani mame!" vybrechla babka a skoro naňho vypľula umelé zuby.

„Prisahal som, že nikomu," odbrechol jej späť Ben.

Nedávno sa v škole učili o množinách. Keď prisahal, že to nepovie nikomu, a povedzme, že „nikto" je množina A, potom otec a mama určite patria do množiny A a sú jej podmnožinou, takže skutočne nie je potrebné, aby babka žiadala Bena, nech prisahá ešte raz.

Pozrime si tento šikovný obrázok:

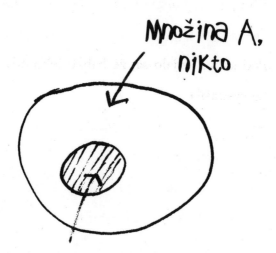

Množina A, nikto

Množina B, mama a otec

Ben si nemyslel, že by babku teraz zaujímali množiny. Keďže sa naňho ešte stále dívala tým hrozivým pohľadom, len si vzdychol a povedal: „Dobre teda, prisahám, že to nepoviem ani mame, ani ockovi."

„Dobrý chlapec," babke začal pískať strojček v uchu.

„Ehm, pod jednou podmienkou," trúfol si Ben.

„Pod akou?" zdalo sa, že babku jeho odvaha trošku vystrašila.

„Musíš mi povedať všetko!"

10

Všetko

„Keď som ukradla svoj prvý prsteň, mala som asi toľko rokov ako ty," začala babka.

Ben bol ohromený. Sčasti preto, že babka mala niekedy toľko rokov ako on, a to sa mu zdalo nemožné, a sčasti preto, že jedenásťročné dievčatá obyčajne nekradnú diamanty. Možno trblietavé perá, sponky, hračkárske poníky, ale určite nie diamanty.

„Viem, že na mne vnímaš len scrabble, štrikovanie a moju slabosť pre kapustu a že som podľa teba len stará nudná..."

„Nie," protirečil Ben dosť nepresvedčivo.

„Ale nezabúdaj, chlapče, že aj ja som bývala mladá."

„A aký bol ten tvoj prvý ukradnutý prsteň?" opýtal sa nadšene Ben. „Bol na ňom obrovský diamant?"

Babka sa zachichotala. „Nie, na tom mojom prvom nebol až taký veľký. Ešte stále ho niekde mám. Prosím ťa, choď do kuchyne a zlož z police tú striebornú plechovku od sušienok."

Ben pokrčil plecami, akoby o plechovke a jej fantastickom obsahu nič nevedel.

„Kde presne je, babi?" opýtal sa, keď vychádzal z obývačky.

„Úplne navrchu, v polici s potravinami, chlapče," zakričala za ním babka.

„A šup-šup, mama a ocko ťa už o chvíľu začnú zháňať." Ben si spomenul, že sa chcel ponáhľať domov na fazuľky so syrom a s párkom. Zrazu sa mu to zdalo úplne nepodstatné. Už ani nebol hladný.

Vrátil sa do izby a v rukách držal plechovku. Bola ešte ťažšia, ako si pamätal. Podal ju babke.

„Dobre, chlapče," prehrabávala sa v plechovke a vytiahla nádherný maličký prsteň.

„Ááá... to je on."

Podľa Bena vyzerali všetky diamantové prstene úplne rovnako. Zdalo sa však, že babka poznala každý z nich tak, akoby to boli jej dávni priatelia. „Taký maličký a taký nádherný," obzerala si prsteň zblízka. „Ukradla som ho ako prvý, keď som ešte bola dieťa."

Ben si nevedel predstaviť, ako babka vyzerala zamladi. Poznal ju len ako starú. Asi si myslel, že sa už narodila ako starenka. Vtedy dávno pred mnohými rokmi, keď ju jej mama privádzala na svet a pýtala sa pôrodnej babice, či je to chlapček, alebo dievčatko, babica jej odvetila: „Je to babka."

„Vyrastala som v malej dedinke a naša rodina bola veľmi chudobná," pokračovala babka. „Na kopci bolo obrovské vidiecke sídlo, v ktorom žili lord a lady Davenportovci. Bolo to tesne po vojne a v tom čase sme nemali veľa jedla. Bola som hladná, a tak som sa raz o polnoci, keď všetci spali, vykradla z našej malej chalúpky. Pod rúškom noci som sa vybrala cez les na kopec do davenportskej usadlosti.

„A nebála si sa?" vyzvedal Ben.

„Samozrejme, že som sa bála. Sama v noci v lese, hrozný pocit. Pri dome boli strážne psy. Veľké čierne dobermany. Čo najtichšie som vyliezla po odkvape a našla pootvorené okno. Mala som jedenásť rokov a na svoj vek som bola drobná. Podarilo sa mi pretiahnuť cez škáru v pootvorenom okne a pristála som v zamatovom závese. Keď som ho odtiahla, zistila som, že som v spálni pána a pani Davenportovcov.

„To nie!" vykríkol Ben.

„Ale áno," pokračovala babka. „Najskôr som si myslela, že vezmem len nejaké jedlo, ale potom som vedľa postele zbadala túto nádheru," ukázala na diamantový prsteň.

„A tak si ho jednoducho zobrala?"

„Byť medzinárodným zlodejom šperkov nie je také jednoduché, mladý muž," povedala babka. „Lord a lady poriadne chrápali, ale keby sa zobudili, bolo by po mne. Lord spával s puškou pri posteli."

„S puškou?" opýtal sa Ben.

„Áno, bol to snob a rád poľoval na bažanty, takže vlastnil veľa zbraní."

Ben sa potil od nervozity. „Ale nezobudil sa a nestrieľal po tebe, však?"

„Buď trpezlivý, chlapče, všetko pekne po poriadku. Preplazila som sa na stranu lady a zobrala som diamantový prsteň. Bol neuveriteľne nádherný. Niečo také som nikdy predtým nevidela zblízka. Moja mama by o takom prsteni ani len nesnívala. „Ja šperky nepotrebujem," hovorievala nám, deťom. „Vy ste moje diamantíky." Chvíľu som obdivovala diamant, ktorý som mala v ruke. Bola to najkrajšia vec, akú som kedy videla. Potom sa zrazu ozval hrozný hluk."

Ben sa zachmúril. „Čo to bolo?"

„Lord Davenport bol veľký, tučný a nenásytný človek. Určite sa večer strašne prejedol, a tak si otrasne grgol."

Ben sa zasmial a babka tiež. Vedel, že grganie nie je na smiech, ale nevedel sa zdržať.

„Bolo to veľmi nahlas," chichúňala sa babka.

„GGGGGGGGGGG RRRRRRRRRRRR RRRRRRRRRRRRR RRRRRRRRRGGGG GGGGGGGGGG!"

napodobnila ho.

Ben sa naplno rozosmial.

„Grgol si tak hlasno," pokračovala babka, „že som sa zľakla a prsteň mi spadol na vyleštenú drevenú podlahu. Urobil taký rámus, že zobudil lady aj lorda."

„Nie!"

„Áno! Schmatla som ho a pustila sa von otvoreným oknom. Počula som, že lord nabíja pušku, a ani som sa neodvážila obzrieť. Skočila som do trávy a vtom sa rozsvietili všetky svetlá v dome, psy brechali a ja som bežala ako o život. Potom som začula ohlušujúci zvuk."

„Ďalšie grgnutie?" opýtal sa Ben.

„Nie, tentoraz to bol výstrel. Lord Davenport na mňa vystrelil, keď som utekala z kopca dolu do lesa."

„A čo bolo potom?"

Babka sa pozrela na malé zlaté hodinky. „Milý môj, radšej by si mal ísť domov. Mamička a otecko budú od strachu celí bez seba."

„To pochybujem," povzdychol si Ben. „Ich zaujímajú len spoločenské tance."

„To nie je pravda," zahriakla ho babka. „Veď vieš, že ťa ľúbia."

„Chcem počuť koniec príbehu," presviedčal ju Ben. Veľmi chcel vedieť, čo bolo ďalej.

„Dopoviem ti ho nabudúce."

„Ale, babi..."

„Ben, musíš ísť domov."

„To je nespravodlivé."

„Ben, musíš ísť. Keď nabudúce prídeš, dopoviem ti to."

„ALE!"

„Pokračovanie nabudúce," povedala.

11

Fazuľky so syrom a s párkom

Ben letel na bicykli domov a ani si neuvedomil pálenie v nohách a bolesť na hrudi. Išiel tak rýchlo, že by mu polícia určite mohla dať pokutu za prekročenie rýchlosti. Myšlienky sa mu v hlave krútili rovnako rýchlo ako kolesá bicykla.

Naozaj je jeho nudná babka zlodejka?!

Babka gaunerka?!

Tak preto tak rada číta knihy o gangstroch – je jedna z nich!

Práve prekĺzal cez zadné dvere, keď z obývačky zaznela známa znelka *Let's Dance*. Prišiel domov presne načas.

Chcel zmiznúť hore do izby a predstierať, že si píše domáce úlohy, no do kuchyne vrazila mama.

„Čo tu robíš?" opýtala sa podozrivo. „Si celý spotený!"

„Ale, nič, nič," klamal Ben, pot mu tiekol po celom tele.

„Veď sa na seba pozri," prišla k nemu bližšie. „Potíš sa ako prasa."

Ben videl v živote niekoľko prasiat, ale ani jedno z nich sa nepotilo. Vlastne, všetci milovníci prasiatok by vám povedali, že svinky nemajú dokonca ani potné žľazy, a preto sa nemôžu potiť.

Fíha, táto kniha je veľmi poučná.

„Nepotím sa," protestoval Ben. Obvinenie z potenia spôsobilo, že sa potil ešte viac.

„Ale potíš. Bol si vonku a behal si?"

„Nie," odpovedal Ben.

„Ben, neklam mi. Som tvoja matka," povedala a ukázala na seba umelým nechtom, ktorý jej pritom odstrelil.

Umelé nechty mame odlietavali často. Raz jeden našiel v bolonskej paelle z mikrovlnky.

„Keď si nebehal po dvore, Ben, prečo si potom celý mokrý?"

Ben musel narýchlo rozmýšľať. Znelka programu sa blížila ku koncu.

„Tancoval som!" vyhŕkol.

„Tancoval?" mamu to veľmi nepresvedčilo. Ben nebol žiadny Flavio Flavioli. A navyše spoločenské tance neznášal.

„Áno, vieš, zmenil som názor na spoločenské tance. Milujem ich!"

„Ale veď si tvrdil, že ich nenávidíš," kontrovala ešte podozrievavejšie mama. „Nespočetne veľakrát. Ešte nedávno si tvrdil, že radšej zješ vlastný šušeň, ako by si mal pozerať tú blbosť. Keď si to povedal, akoby si mi bodol dýku do srdca."

Mamu tá spomienka zjavne rozrušila.

„Prepáč, mami, mrzí ma to."

Natiahol ruku, aby ju utešil, a na podlahu padol ďalší umelý necht. „Mám ich rád, prisahám. Pozeral som Let's Dance cez medzierku vo dverách a napodobňoval som všetky pohyby."

Mama zažiarila pýchou. Vyzerala, akoby celý život náhle dostal zmysel. V tvári sa jej zračila radosť aj smútok, ako keď ide o niečo osudové.

„Ty sa chceš stať..." zhlboka sa nadýchla, vydýchla, „... profesionálnym tanečníkom?"

„Kde je moja fazuľková žena so syrom a s párkom?" ozval sa z obývačky otec.

„Drž zobák, Pete!" mama mala od radosti slzy v očiach.

Odkedy Flavio minulý rok vypadol zo súťaže v druhom týždni, neplakala. Flavia totiž donútili, aby mal za partnerku poslankyňu Rachel Malicheryovú, ktorá bola taká tučná, že ju musel po parkete ťahať.

„Noo... ehm... hm..." Ben sa zúfalo pokúšal vycúvať z tejto situácie, „... áno."

Tak toto mu nevyšlo.

„Áno! Ja som to vedela!" kričala mama. „Pete, poď sem na chvíľu. Ben ti chce niečo povedať."

Oco sa unavene došuchtal. „O čo ide, Ben? Hádam len nechceš ísť do cirkusu? Fúha, ty si ale spotený!"

„Nie, Pete," povedala mama zámerne pomaly, akoby išla prečítať meno víťaza po zaznení nomi-

nácií v nejakej súťaži. „Ben už nechce byť nejakým hlúpym inštalatérom!"

„Vďakabohu," povedal otec.

„Chce sa stať..." mama pozrela na syna. „Povedz mu to, Ben."

Ben otvoril ústa, ale kým sa mu podarilo niečo vysúkať, mama za neho vykríkla: „Ben chce tancovať spoločenské tance!"

„Takže Boh predsa existuje!" vyhlásil otec. Pozrel hore na strop so škvrnami od nikotínu, akoby tam mal zahliadnuť dôkaz Božej vôle.

„Práve trénoval v kuchyni," džavotala mama vzrušene. „Opakoval všetky pohyby zo šou."

Otec sa pozrel synovi do očí a podal mu ruku ako chlap chlapovi. „To je skvelá správa, synak. My s mamou sme toho v živote veľa nedosiahli. Čo už taká mama ako leštička nechtov."

„Som manikérka, Pete!" opravila ho mama opovržlivo. „V tom je poriadny rozdiel a ty to vieš..."

„Manikérka, prepáč. A ja som len nudný ochrankár, lebo na policajta som bol pritučný. Najvzrušujúcejší zážitok mojej práce bol, keď som prichytil vozičkára, ako sa rúti z obchodu s plechovkou pudingu skrytou v deke. Ale keď sa ty staneš tanečníkom, no... to... to bude tá najskvelejšia vec, aká sa nám kedy prihodila."

„Úplne najskvelejšia!" povedala mama.

„Tá naj- naj- najskvelejšia," pritakal aj otec.

„Fakt tá naj- naj- naj- naj- najskvelejšia," dodala mama.

„Dohodnime sa, že bude mimoriadne skvelá," povedal namrzene otec. „Ale varujem ťa, chlapče, nebude to jednoduché. Do telky sa môžeš dostať, len ak budeš trénovať osem hodín denne sedem dní v týždni nasledujúcich dvadsať rokov."

„Možno by mohol ísť do americkej verzie!" vykríkla mama. „Och, Pete, len si to predstav, náš syn, obrovská hviezda v Amerike!"

„No, len nehovor hop, kým nepreskočí. Ešte nevyhral britskú. Teraz by sme mali začať rozmýšľať nad prihlásením do juniorskej súťaže."

„Máš pravdu, Pete. Gail mi povedala, že teraz pred Vianocami má byť nejaká na radnici."

„Otvorme si šampanské, žena moja! Náš syn bude ša-ša-ša-šampión!"

Ben si v duchu zanadával.

Ako sa len z tohto dostane?!

12

Srdiečková serenáda

Ben strávil celé nedeľné dopoludnie tým, že ho mama merala na nové tanečné oblečenie.

Zostala hore dlho do noci a kreslila rôzne varianty.

Pod nátlakom si musel jedno vybrať, a tak nepresvedčivo ukázal na to, ktoré sa mu zdalo najmenej ohyzdné.

Mamine návrhy zahŕňali celú škálu od trápnych kostýmov až po ponižujúce...

... a medzi nimi boli:

Les

Ovocný kokteil

Hromy-blesky

Úraz

Ľadová pochúťka

Živý plot s jazvecom

Bonpari

Volské oko so slaninkou

Konfety

Morský svet

Spaľujúca láska

Syr s cibuľkou

Slnečná sústava

Klavirista

Oblečenie, ktoré sa mu zdalo *najneškodnejšie*, sa volalo Srdiečková serenáda:

„Musíme ti nájsť nejaké milé dievča, aby si mal partnerku na súťaž," nadchýnala sa mama, až jej umelý necht odprskol pod šijací stroj a tam ťukol o podlahu.

Ben na tanečnú partnerku ani nepomyslel. Nielenže bude musieť tancovať, ale ešte aj s dievčaťom!

A nie s hocijakým, ale s nechutne dospelo vyzerajúcim nablýskaným dievčaťom natretým samoopaľovacím krémom, s tonou mejkapu a oblečeným v drese.

Ben bol ešte vždy vo veku, keď boli podľa neho dievčatá pôvabné ako žabí sliz.

„Ja budem tancovať sám," vyprskol.

„Takže sólové číslo!" vykríkla mama. „Aké originálne!"

„A, vlastne, nemôžem tu celý deň len tak tárať. Radšej by som mal ísť cvičiť," skonštatoval a vyparil sa hore do izby. Zabuchol dvere, zapol rádio, vyliezol cez okno a letel na bicykli k babke.

„Takže si bežala do lesa, keď tu zrazu na teba začal lord Davenport strieľať," húdol Ben nedočkavo do babky.

Ale babka na chvíľu úplne stratila pamäť.

„Ja?" opýtala sa zmätene.

„Tam si včera s príbehom skončila. Povedala si, že si uchmatla prsteň zo spálne Davenportov-cov, a keď si bežala cez trávnik, začula si výstrely..."

„Aha, áno, áno," zamrmlala babka a tvár sa jej náhle rozjasnila.

Ben sa naširoko usmial. Zrazu si spomenul, že keď bol malý, strašne rád počúval babkine príbehy. Prenášal sa v nich do zázračného sveta. Do sveta, v ktorom si človek v mysli kreslí oveľa napínavejšie obrazy ako všetky filmy, televízne seriály či video-hry v celom vesmíre.

Len pred niekoľkými týždňami mu babka roz-právala príbeh na dobrú noc a on predstieral, že spí, aby prestala. Rozhodne zabudol, aký môže byť taký príbeh napínavý.

„Len som bežala a bežala," pokračovala zadý-chane babka, akoby naozaj bežala, „a začula som výstrel. A ďalší. Podľa zvuku som vedela, že to nebola guľovnica, ale brokovnica."

„Aký je medzi nimi rozdiel?" opýtal sa Ben.

„Nuž, guľovnica vystrelí len jedinú guľku a je presnejšia. Ale z brokovnice sa rozprášia stovky maličkých smrtiacich oceľových guľôčok. S brokovnicou ťa trafí aj idiot, ak ju namieri tvojím smerom."

„A trafil ťa?" vyzvedal Ben. Úsmev z tváre mu zmizol a vystriedal ho strach.

„Áno, ale našťastie som bola dosť ďaleko, takže ma len škrabol. Počula som aj brechot psov. Naháňali ma a ja som bola iba malé dievčatko. Keby ma chytili, boli by ma roztrhali na kusy..."

Ben s hrôzou zalapal po dychu. „Tak ako sa ti podarilo uniknúť?"

„Využila som príležitosť. Nemohla som nadbehnúť psom cez les. Nezvládol by to ani najrýchlejší bežec. Les som však poznala výborne. So súrodencami sme sa tam hrávali celé dni. Vedela som, že keď prebehnem cez potok, stratia stopu."

„Ako to?"

„Psy nedokážu používať čuch vo vode. A na druhej strane potoka bol obrovský dub. Ak by som sa naň vyštverala, budem v bezpečí."

Ben si nevedel predstaviť, ako sa babka štverá po schodoch, nieto ešte na strom. Odkedy si pamätal, bývala na prízemí.

„Keď som bežala k potoku, začula som v tme ďalšie výstrely," pokračovala. „Zakopla som. Narazila som na koreň stromu a padla tvárou do blata. Postavila som sa a uvidela som mužov na koňoch na čele s lordom Davenportom. V rukách mali horiace fakle a strelné zbrane. Fakle osvetľovali celý les. Skočila som do potoka. Bolo to zhruba v tomto ročnom období. Bola zima a voda bola úplne ľadová. Chlad mi vyrazil dych. Len som si zakryla dlaňou ústa, aby som nevykríkla. Počula som brechať psy čoraz bližšie. Určite ich tam boli tucty. Keď som sa obzrela, videla som, ako sa im v mesačnom svite ligocú zubiská. Prebrodila som sa cez potok a začala som sa štverať na strom. Ruky som mala od blata, nohy mokré a šmýkalo sa mi. Zúfalo som si omotala ruku do nočnej košele a liezla som ďalej. Vyštverala som sa na vrchol

stromu a snažila som sa čo najmenej hýbať. Počula som, ako sa psy a Davenportovi muži pustili pozdĺž potoka, ale opačným smerom. Zúrivý brechot postupne utíchal a po chvíli boli aj fakle už len malými žiarivými fliačikmi. Bola som zachránená. Na vrchole stromu som sa triasla ešte celé hodiny. Čakala som do svitania, potom som zliezla a vrátila sa do našej chalupy. Zaliezla som do postele a ležala v nej, až kým slnko úplne nevyšlo."

Ben si dokázal živo predstaviť všetko, čo babka opisovala. Úplne ho očarila.

„Prišli ťa hľadať?" opýtal sa.

„Nikto z nich ma poriadne nevidel, a tak Davenport poslal svojich mužov, aby hľadali po celej dedine. Prevrátili naruby všetky chalupy, len aby prsteň našli."

„Priznala si sa?"

„Chcela som. Mala som hrozné výčitky. Vedela som však, že keby som sa priznala, dostala by som sa do peknej kaše. Lord Davenport by ma dal verejne zbičovať na námestí."

„Čo si teda urobila?"

„Prehltla som ho."

Ben neveril vlastným ušiam. „Prsteň, babi? Prehltla si prsteň?"

„Zdalo sa mi, že v žalúdku ho ukryjem najlepšie. Keď som o pár dní išla na záchod, bol znova vonku."

„To ťa muselo bolieť!" Benovi až stiahlo zadok, keď si to predstavil. Pretisnúť diamantový prsteň cez zadok, to v žiadnom prípade neznelo príjemne.

„Bolelo to, bolo to neznesiteľné," babka zmraštila tvár. „Našu chalupu našťastie prehľadali spredu-dozadu už predtým. Nie do zadku, dozadu..."

Ben sa zachichotal. „... a Davenportovi muži sa pobrali hľadať do susednej dediny. V noci som sa vrátila do lesa a prsteň som skryla. Ukryla som ho na miesto, kde by sa nikdy nikto nepozrel – pod kameň v potoku."

„Múdre rozhodnutie," povedal Ben.

„Ten prsteň však bol len prvý z mnohých, Ben. Jeho krádež bola najvzrušujúcejšie dobrodružstvo v mojom živote. Keď som si večer líhala do postele, snívala som, ako ukradnem ďalšie a ďalšie diamanty. Prsteň bol len začiatok..." pokračovala pošepky babka a uprene sa dívala do Benových nevinných detských očí, „... života zločinca."

13

Život zločinca

Babka vnukovi rozprávala o krádeži každučkého zo šperkov rozložených na zemi v obývačke a hodiny akoby trvali len minúty.

Veľký diadém patril manželke prezidenta Spojených štátov amerických, prvej dáme. Babka rozprávala Benovi, ako sa pred viac ako päťdesiatimi rokmi plavila na výletnej lodi do Ameriky, aby ho ukradla z Bieleho domu vo Washingtone. Po ceste späť kradla šperky všetkým bohatým dámam na lodi. Rozprávala, ako ju pri čine prichytil kapitán

lode a ako sa zachránila, keď skočila cez palubu a niekoľko posledných kilometrov k pobrežiu Anglicka plávala v Atlantickom oceáne so všetkými šperkami v spodkách.

Prezradila Benovi, že žiarivé smaragdové náuš-
nice, ktoré mala vo svojom dome už niekoľko de-
saťročí, majú každá hodnotu viac ako milión libier.
Patrili manželke neskutočne bohatého indického

maharadžu – mahárání. Babka mu vyrozprávala, ako si získala čriedu slonov, a tá jej pomohla náušnice ukradnúť. Prikázala im, aby sa postavili jeden na druhého a vytvorili obrovitánsky rebrík. Mohla po ňom vyliezť na múr indickej pevnosti, kde boli v kráľovskej spálni náušnice.

Najúžasnejšie bolo, ako ukradla obrovskú brošňu s tmavomodrým diamantom a so zafírom, ktorá sa teraz jagala na vyšúchanom obývačkovom koberci. Predtým ju vraj vlastnila posledná ruská cárovná, čo vládla v Rusku so svojím manželom cárom pred komunistickou revolúciou v roku 1917. Mnoho rokov bola brošňa za nepriestrelným sklom v múzeu Ermitáž v Petrohrade. Dvadsaťštyri hodín denne sedem dní v týždni a tristošesťdesiatpäť dní v roku ju strážila rota nebojácnych ruských vojakov.

Táto krádež si vyžadovala najprepracovanejší plán. Babka sa v múzeu ukryla do starobylého brnenia z čias Kataríny Veľkej. Vždy, keď sa vojaci pozerali inam, posunula sa v brnení o pár milimetrov, až kým sa nedostala dostatočne blízko k brošni. Trvalo jej to týždeň.

„Naozaj? Hýbala si sa krôčik po krôčiku ako slimák?" neveril Ben.

„Presne tak, chlapče," pritakala babka. „Potom som rozbila sklo striebornou sekerou, ktorú som držala v ruke, a schmatla som brošňu."

„A ako si ušla, babi?"

„To je dobrá otázka... hm, ako som to len ušla?" Babka vyzerala zmätene. „Prepáč, chlapče, to ten môj vek, zabúdam."

Ben sa povzbudivo usmial. „To je v poriadku, babi."

Babke sa pamäť o chvíľu zjavne vrátila. „Ach, už si spomínam," pokračovala. „Vybehla som von na dvor múzea, vliezla som do kanóna a vystrelila som sa do bezpečia."

Ben si to chvíľu predstavoval: babka v srdci temného Ruska letí v rytierskom brnení vzduchom. Bolo ťažké uveriť tomu, ale ako inak by mohla táto útla starenka prísť k takej úžasnej zbierke drahokamov?

Benovi sa babkine odvážne príbehy páčili. Doma mu nikdy nečítali ani nerozprávali rozprávky. Keď rodičia prišli z práce, vždy len zapli telku a rozvalili sa na gauči. Počúvať babku bolo napínavé. Ben si želal, aby sa k nej mohol nasťahovať. Dokázal by ju počúvať aj celý deň.

„Na svete asi neexistuje šperk, ktorý by si nebola ukradla," povedal Ben.

„Ale existuje, chlapče. Počkaj, čo je to?"

„Čo je čo?" opýtal sa Ben.

Babka ukázala ponad Benovu hlavu a tvárila sa vyľakane. „To je... to je..."

„*Čo?*" Ben sa neodvážil otočiť a pozrieť, na čo ukazuje. Striaslo ho.

„Čokoľvek sa bude diať," vystríhala ho babka, „neotáčaj sa!"

14

Zvedavý sused

Ben sa nevedel zdržať a oči mu zablúdili k oknu. Na kratučkú chvíľku zazrel cez špinavé sklo nakúkať tmavú postavu v trápnom klobúku, ktorá ihneď zmizla.

„Do okna pozeral nejaký chlap," ozval sa Ben so zatajeným dychom.

„Viem," odvetila babka. „Povedala som ti, aby si sa tam nedíval."

„Mám ísť von a pozrieť sa, kto to je?" Ben sa snažil zakryť poriadny strach. Určite by bol radšej, keby sa išla pozrieť babka.

„Stavím sa, že to bol môj zvedavý sused, pán Parker. Býva na čísle sedem, vždy nosí klobúk s nízkou strieškou a neustále ma špehuje."

„Prečo?"

Babka pokrčila plecami. „Neviem, asi mu je zima na hlavu alebo čo."

„Prosím?" nechápal Ben. „Ale nie, nepýtam sa na klobúk. Prečo ťa stále špehuje?"

„Je to major vo výslužbe a teraz sa venuje hliadkovaniu v našej štvrti."

„Akému hliadkovaniu?" vyzvedal Ben.

„Nuž, to sa skupina miestnych rozhodla, že budú hliadkovať kvôli zlodejom. Ale pán Parker hliadkovanie využíva ako výhovorku, aby mohol všetkých špehovať, špehúň starý akýsi. Keď idem zo supermarketu s taškami plnými kapusty, často ho vídam, ako sa skrýva za záclonou a špehuje ma ďalekohľadom."

„Podozrieva ťa?" Ben sa veru poriadne zľakol. Nechcel, aby ho zatvorili do väzenia za napomáhanie zločincovi a za spoluvinu. Vlastne ani veľmi nevedel, čo znamená spoluvina, vedel len, že to je trestný čin, a aj to, že na väzenie je ešte primladý.

„Podozrieva všetkých. Musíme si naňho posvietiť, chlapče. Ten chlapík je postrach."

Ben prešiel k oknu a vykukol. Nevidel nikoho.

CCCCCCCCCCCCCCCCCCCCCCCCRŔŔŔ ŔŔŔŔŔŔŔŔŔŔŔŔŔŔŔŔŔŔŔŔŔŔŔŔŔŔNNNN NNNNNNNNNNNNNNN!!!!!!!!!!!!!!!!!!!!!!!!!!!!!!!!!!!!!!

Benovi až srdce stislo. Bol to len zvonček, ale keby pána Parkera pustili do domu, uvidel by všetky dôkazy, určite by polícii stačili na to, aby poslala Bena a babku priamo do väzenia.

„Neotváraj!" Ben bežal do stredu izby a rýchlo začal pchať šperky späť do plechovky.

„Ako to myslíš, neotváraj? Vie, že som doma. Veď nás práve videl cez okno. Ty otvoríš a ja ukryjem šperky."

„Ja?"

„Áno, ty. Ponáhľaj sa."

CCCCCCCCCCCCCCCCCCCCCCCCCCC CCCCŔŔŔŔŔŔŔŔŔŔŔŔŔŔŔŔŔŔŔŔŔŔŔ ŔŔŔŔŔŔŔŔŔŔŔŔŔNNNNNNNNNNNNNNN NNNNNNNNNNNNNNNNNNNNNNNNNN NNNNNNNNN!!!

Zvonček zazvonil ešte naliehavejšie. Pán Parker držal prst na tlačidle ešte dlhšie. Ben sa zhlboka nadýchol a pokojným krokom prešiel cez chodbu k vchodovým dverám.

Otvoril.

Vonku stál pán vo veľmi smiešnom klobúku. Neveríte mi? Ten klobúk bol takýto:

„Áno?" ozval sa Ben piskľavým hlasom. „Ako vám môžem pomôcť?"

Pán Parker strčil topánku do dverí, aby ich Ben nemohol zatvoriť.

„Kto si?" vyštekol nosovým hlasom.

Mal obrovský nos. Robil ho ešte zvedavejším, ako v skutočnosti bol, a to bol riadne zvedavý. Keďže mal veľký nos, mal aj nosový hlas, a keď niečo povedal, znelo to trošku smiešne, aj keď to mohlo byť veľmi vážne. Oči mu svietili načerveno ako démonovi.

„Som babkin priateľ," vyjachtal Ben. *Prečo som to vlastne povedal?* rozmýšľal. Pravdupovediac, bol celý zmätený a jazyk si s ním robil, čo chcel.

„Priateľ?" zavrčal pán Parker a tlačil do dverí. Bol silnejší ako Ben a čoskoro sa pretisol dovnútra.

„Teda vnuk, pán Parker. Pane..." ustupoval Ben do obývačky.

„Prečo mi klameš?" opýtal sa pán Parker, pričom urobil niekoľko krokov vpred a Ben vzad, akoby tancovali tango.

„Neklamem vám!" kričal Ben.

Dostali sa k obývačkovým dverám.

„Tam nemôžete ísť!" kričal Ben a myslel na šperky, ktoré sa váľali po koberci.

„Prečo nie?"

„Ehm... hmm... pretože babka cvičí jogu a je nahá."

Ben chcel pánovi Parkerovi zabrániť, aby vbehol dovnútra a uvidel šperky. Bol si úplne istý, že teraz trafil do čierneho, pretože pán Parker zastal a zvraštil obočie.

Bohužiaľ, zvedavého suseda úplne nepresvedčil.

„Nahá a jogu? To je skutočne veľmi pravdepodobné! Potrebujem hovoriť s tvojou babkou. Hneď a zaraz! A teraz ustúp, ty malý neposlušný červiak!" odsotil chlapca nabok a otvoril dvere do obývačky.

Babka musela počuť cez dvere, čo Ben hovoril, pretože keď pán Parker vrazil do izby, stála v spodnej bielizni v polohe stromu.

„No dovoľte, pán Parker?" predstierala zdesenie, že ju vidí takmer nahú.

Pán Parker jastril očami po obývačke. Nevedel, kam sa má pozerať, a tak sa sústredil na koberec, ktorý bol už prázdny. „Prepáčte, madam, musím sa vás opýtať, kde sú tie šperky, ktoré som tu pred chvíľou videl."

Ben si všimol, že strieborná plechovka vykúka spod gauča. Tajne ju nohou odtisol z dohľadu.

„Aké šperky, pán Parker? Zase ste ma sledovali?" dožadovala sa babka v spodnej bielizni odpovede.

„Noo, ja..." habkal. „Mal som na to dôvod. Mal som podozrenie, lebo som videl na váš pozemok vstúpiť tohto muža. Myslel som, že je to zlodej."

„Pustila som ho prednými dverami."

„Mohol to byť veľmi očarujúci zlodej. Mohol si vašu dôveru získať ľsťou."

„Je to môj vnuk. Spáva u mňa každý piatok."

„Ha!" triumfálne sa ozval pán Parker. „Ale dnes nie je piatok! Takže vidíte, že mám dôvody na podozrievavosť. Ako šéf hliadky domobrany musím všetko podozrivé hlásiť polícii."

„To ja mám dobrý dôvod nahlásiť polícii vás, pán Parker!" povedal Ben.

Babka sa naňho zvedavo pozrela.

„Za čo?" opýtal sa pán Parker. Oči sa mu zúžili. Mal ich také červené, že to vyzeralo, akoby mu v mozgu horel oheň.

„Za to, že špehujete staršie dámy v spodnej bielizni!" triumfálne vyhlásil Ben. Babka naňho žmurkla.

„Keď som ju sledoval, bola úplne oblečená..." protestoval pán Parker.

„To hovoria všetci!" povedala babka. „A teraz von z môjho domu, kým vás nedám zatknúť za špehovanie polonahých dám."

„Ešte sa stretneme! Príjemný deň!" S týmito slovami sa pán Parker otočil na opätku a odišiel.

Babka a Ben počuli, ako sa za ním zabuchli vchodové dvere, utekali k oknu a pozorovali ho, ako sa porazený poberá domov.

„Myslím, že sme ho vystrašili," povedal Ben.

„Ale vráti sa," babka na to. „Musíme byť veľmi opatrní."

„Áno," súhlasil vyplašený Ben.

„Radšej by sme mali plechovku ukryť niekam inam."

Babka chvíľu rozmýšľala. „Dobre, dám ju pod podlahu."

„Oukej," povedal Ben, „ale najskôr..."

„Áno, Ben?"

„By si sa mala obliecť."

15

Nebezpečné a vzrušujúce

Keď sa babka obliekla, sadli si s Benom na gauč.

„Babi, než prišiel pán Parker, povedala si, že existuje šperk, ktorý si neukradla," zašepkal Ben.

„Existuje niečo veľmi výnimočné, čoho sa túži dotknúť každý gauner na svete. Ale nie je to možné. Skrátka sa to nedá," odvetila babka.

„Stavím sa, že ty by si to dokázala, babi. Si tá najväčšia gaunerka všetkých čias."

„Vďaka, Ben, možno som, alebo skôr, bola som... a krádež tých šperkov je asi snom všetkých veľkých zlodejov, ale to asi... nepôjde."

„Šperkov? Takže ich je viac?"

„Áno, zlatko. Naposledy sa ich snažili ukradnúť pred tristo rokmi. Bol to, myslím, kapitán Blood. Ale nie som si istá, či by z toho bola kráľovná nadšená," zachichotala sa.

„Azda nemáš na mysli?"

„Áno, môj milý, *korunovačné klenoty*."

Ben sa o korunovačných klenotoch učil na hodine dejepisu. Dejepis bol jedným z mála predmetov, ktoré mal rád, najmä pre všetky tie krvavé popravy v minulosti. Jeho obľúbený spôsob bol „obesiť, utopiť a rozštvrtiť", ale mal rád aj lámanie na kolese, upálenie na hranici, a, samozrejme, rozpálenú medenú tyč do zadku.

Koho by to nezaujalo?

V škole sa učili, že korunovačné klenoty sú vlastne sada korún, mečov, žeziel, prsteňov, náhrdelníkov a jablk, a niektoré z nich mali aj viac ako tisíc rokov. Používali sa pri korunovácii nového kráľa alebo kráľovnej a od roku 1303 sú pod zámkou v londýnskej veži Tower.

Ben prosil rodičov, aby sa na ne išli pozrieť, ale tí frflali, že Londýn je pridaleko (aj keď až tak ďaleko zas nebol).

Pravdupovediac, ako rodina vlastne nikdy nikam nechodili. Keď bol Ben mladší, v nemom úžase počúval svojich spolužiakov, ako po prázdninách opisovali nespočetné množstvá zážitkov. Výlety k moru, návštevy múzeí, dovolenky v exotických krajinách. Keď prišiel rad naňho, mal v krku hrču. Strašne sa hanbil priznať, že sa celé prázdniny napchával jedlom z mikrovlnky a pozeral telku, a tak si vymýšľal príbehy o púšťaní šarkanov, lození po stromoch a výletoch na hrady a zámky.

Ale teraz mal ten najúžasnejší príbeh. Jeho babka bola medzinárodná zlodejka šperkov. Gaunerka! Až na to, že keby to vyrozprával v škole, babku by zatvorili do väzenia a kľúče od cely by zahodili.

Ben si uvedomil, že má obrovskú šancu urobiť niečo bláznivé, nebezpečné a vzrušujúce.

„Pomôžem ti," povedal s chladnou hlavou a pokojným hlasom, hoci mu srdce búšilo oveľa rýchlejšie ako kedykoľvek predtým.

„V čom mi chceš pomôcť?" opýtala sa trochu zmätene babka.

„Samozrejme, že ukradnúť korunovačné klenoty," odvetil.

16

N+IE = NIE

„Nie!" zakričala babka, až jej strojček v uchu začal hlasno pískať.

„Áno!" nedal sa Ben.

„Nie!"

„Áno!"

„Nieeee!"

„Ááááááno!"

„NIEEEEEEEEEEEEEEEEEEEEEEEEEEE EEEEEEEEEEEEE!"

„ÁÁÁÁÁÁÁÁÁÁÁÁÁÁÁÁÁÁÁÁÁÁÁÁÁÁÁ ÁÁÁÁÁÁÁÁÁÁÁÁÁÁNO!"

Tento dialóg trval niekoľko minút, ale aby som šetril papier a stromy, a teda aj lesy, čiže životné prostredie a vlastne celý svet, pokúsil som sa ho skrátiť.

„Chlapca v tvojom veku v žiadnom prípade nevezmem so sebou na akciu! A vonkoncom nie na korunovačné klenoty! A čo je najdôležitejšie: nie je to možné! Nedá sa to!" vykrikovala babka.

„Nejako sa to musí dať," prosíkal Ben.

„Ben, povedala som nie, a je to moje posledné slovo!"

„Ale..."

„Žiadne ale, Ben. Nie. A N+IE znamená NIE."

Ben bol trpko sklamaný, ale babka sa zaťala. „Radšej by som mal ísť," povedal skľúčene.

Aj babka vyzerala trochu zronená. „Áno, môj zlatý, asi by si mal, mama a ocko sa o teba budú báť."

„Nebudú."

„Ben! Domov! A okamžite!"

Benovi bolo ľúto, že len čo babka začala byť trochu zaujímavá, hneď sa z nej stala nudná dospeláčka. Ale poslúchol ju. Okrem iného nechcel v rodičoch vzbudiť podozrenie, a tak sa hnal domov, vyliezol po odkvape do izby a ponáhľal sa dole do obývačky.

Vôbec ho neprekvapilo, že mama s otcom sa oňho ani trochu nebáli. Boli priveľmi zaneprázdnení plánovaním synovho raketového vzostupu do tanečného neba, a tak si ani nevšimli, že sa vyparil.

Otec v jednom kuse vyvolával na informačnú linku národnej juniorskej tanečnej súťaže. Nakoniec sa mu to poradilo a syna do nej prihlásil. Mama mala pravdu, súťaž mala byť na radnici už o niekoľko týždňov. Času nebolo nazvyš, tak každú voľnú chvíľu venovala výrobe kostýmu Srdiečková serenáda.

„Tak ako ide skúšanie, chlapče?" opýtal sa oco. „Vyzeráš, že si sa poriadne zapotil."

„Ďakujem za opýtanie, oci, dobre," zaklamal Ben. „Vymýšľam na ten veľký večer niečo skutočne výnimočné."

Ben v duchu vynadal sám sebe, že zbytočne veľa rozpráva.

Niečo skutočne výnimočné?

Bude šťastný, keď nespadne a nevyradia ho.

„Nevieme sa dočkať, kedy ťa uvidíme. Bude to už onedlho!" povedala mama a ani nedvihla zrak od šijacieho stroja, kde na vonkajšiu stranu elastických nohavíc prišívala stovky ligotavých červených srdiečok.

„Rád by som teraz trénoval sám, mami, veď

vieš..." nervózne preglgol Ben. „Až kým to nebudem mať nacvičené celé."

„Áno, áno, chápeme to," prikyvovala mama.

Ben si vydýchol. Podarilo sa mu získať trochu času.

Ale len trochu.

O pár týždňov bude aj tak musieť pred celým mestom zatancovať sólový tanec.

Sadol si na posteľ a zohol sa pre ukrytých *Inštalatérov.* Prezeral si zoznam článkov z minulého roka a všimol si nadpis *Krátka história inštalatérstva.* Článok mal opisovať niektoré najstaršie londýnske systémy potrubí. Ben horúčkovito listoval stranami, aby ho našiel.

Mal ho. Heuréka!

Pred mnohými stovkami rokov bola rieka Temža, na brehu ktorej stojí Tower, otvorenou stokou. (Jasne povedané, plával v nej moč a množstvo výkalov.)

V budovách pri rieke boli hrubé potrubia, ktoré viedli zo záchodov priamo do rieky. V časopise boli podrobné historické nákresy rôznych slávnych budov v Londýne, na ktorých bolo naznačené, kde kanalizácia ústila do rieky.

A...

Benov prst kĺzal po článku...

Áno! Nákres kanalizačného potrubia londýnskeho Toweru.

To by mohlo byť kľúčom ku krádeži korunovačných klenotov. Jedno potrubie bolo takmer meter široké a dostatočne veľké, aby v ňom mohlo plávať dieťa. A možno aj staršia dáma.

V článku sa písalo aj o tom, že keď sa modernizoval systém potrubia a budovali sa dnešné kanály, mnoho starých potrubí nechali v pôvodnom stave, pretože to bolo jednoduchšie, ako ich vykopávať.

Ben rozmýšľal, čo by to mohlo znamenať, tak

tuho, až sa mu z toho zakrútila hlava. Bolo možné,

fakt bolo možné, že hrubé potrubie, ktoré viedlo

z Temže do Toweru, stále existovalo a že väčšina

ľudí s výnimkou nadšencov inštalatérstva zabudla,

že tam vôbec niekedy bolo. Ani sám Ben by to nevedel, keby nebol dlhoročným čitateľom *Inštalatéra*.

S babkou by mohli preplávať cez potrubie a dostať sa do Toweru...

Mama a ocko nemali pravdu! rozmýšľal. *Inštalatérstvo predsa môže byť vzrušujúce.*

Bola to síce kanalizácia, čo nebolo ideálne, ale výkaly, ktoré tam zostali, sú staré stovky rokov.

Ben nevedel, či to je dobre, alebo zle.

V tej chvíli začul zavŕzgať drevenú podlahu a dvere jeho izby sa dokorán otvorili. Dovnútra sa vrútila mama a v ruke držala veľký kus elastickej látky, z ktorého sa črtal jeho kostým Srdiečková serenáda.

Ben rýchlo skryl časopis pod posteľ a v tvári mal veľmi previnilý výraz. „Len som chcela, aby si si ho vyskúšal," povedala mama.

„Dobre." Ben nemotorne sedel na posteli a cho-
didlami odtláčal zvyšných *Inštalatérov* z dohľadu
maminých všetečných očí.

„Čo to je?" opýtala sa. „Čo si skrýval, keď som
vošla? Nejaký erotický časopis?"

„Nie," povedal Ben a preglgol. Vyzeralo to evi-
dentne horšie, ako to v skutočnosti bolo. Akoby
pod posteľou ukrýval nejaké prasačinky.

„Nemáš sa za čo hanbiť, Ben. Zaujímať sa
o dievčatá je zdravé."

Ach, nie! rozmýšľal Ben. *Mama sa so mnou ide
rozprávať o dievčatách.*

„Na záujme o dievčatá nie je nič trápne, Ben."

„Je! Dievčatá sú hlúpe!"

„Nie, Ben. Je to najprirodzenejšia vec na svete..."

Ona neprestane!

„VEČERA JE TAKMER NA STOLE, MILÁ-
ČIK!" ozvalo sa z prízemia. „ČO ROBÍŠ HORE?"

„ROZPRÁVAM SA S BENOM O DIEVČA-
TÁCH!" odkričala mu mama.

Ben bol taký červený, že keby mal okrúhlejšiu hlavu a nemal by vlasy, vyzeral by ako paradajka.

„ČO?" zakričal oco.

„O DIEVČATÁCH!" mama na to. „ROZ-
PRÁVAM SA S NAŠÍM SYNOM O DIEVČA-
TÁCH!"

„DOBRE!" znova zakričal otec. „TAK VY-
PNEM RÚRU."

„Takže, Ben, keby si niekedy potreboval..."

CŔŔN-CŔŔN. CŔŔN-CŔŔN.

To zvonil mame vo vrecku mobil.

„Prepáč, Gail," priložila si mobil na ucho. „Mô-
žem ti zavolať neskôr, zlatko? Práve sa rozprávam s Benom o dievčatách. OK, vďaka, čaukíííí."

Vypla telefón a obrátila sa na Bena.

N+IE = NIE

„Prepáč, kde som to skončila? Aha, ak sa teda niekedy so mnou budeš chcieť porozprávať o dievčatách, neotáľaj. Môžeš mi dôverovať, budem veľmi diskrétna...“

17

Plánovanie lúpeže

Ben prvý raz v živote po ceste do školy poskakoval.

Vďaka svojej láske k inštalatérstvu včera večer zistil, že Tower má slabinu. Najnedobytnejšia budova na svete, kde väznili a popravili najväčších zločincov v krajine, má osudový nedostatok – obrovské potrubie kanála ústi priamo do Temže.

To staré potrubie poslúži jemu a babke ako cesta do Toweru a späť. Bol to vskutku výnimočný plán a Benovo telo sa tomu vzrušeniu nemohlo ubrániť.

Preto poskakoval.

Už sa nemohol dočkať piatkového večera, keď ho rodičia znova odložia k babke.

Bude ju môcť presvedčiť a spolu sa im podarí ukradnúť korunovačné klenoty. Ben si vezme aj nákres kanalizačného potrubia Toweru z *Inštalatéra* a ukáže jej ho. Zostanú hore celú noc a prepracujú všetky podrobnosti najodvážnejšej lúpeže všetkých čias.

Problém bol len v tom, že do piatka večera musel prežiť celý týždeň nabitý rôznymi predmetmi, učiteľmi a domácimi úlohami. Ben sa však rozhodol týždeň rozumne využiť.

Na hodine informatiky si na internete vyhľadal webovú stránku korunovačných klenotov a zapamätal si každučký detail.

Na hodine dejepisu sa učiteľa povypytoval na Tower a na to, kde presne v budove sa klenoty nachádzajú. (Pre tých, čo si potrpia na fakty, no predsa v klenotnici.)

Na hodine zemepisu si našiel atlas Britských ostrovov a presne si označil, na ktorom mieste na Temži leží Tower.

Na telesnej výchove si nezabudol úbor, ako sa to obyčajne „náhodou" stáva, a urobil pár kľukov navyše, aby mal dostatočne silné ruky na lezenie po potrubí, čo viedlo do Toweru.

Na matematike sa opýtal učiteľky, koľko balíčkov mačacích jazýčkov sa dá kúpiť za päť miliárd libier (teda za sumu, na ktorú sa korunovačné klenoty odhadujú). Mačacie jazýčky sú Benova najobľúbenejšia sladkosť.

Odpoveď znela desať miliárd balíčkov, alebo sto miliárd jazýčkov. To by malo vystačiť minimálne na rok.

A Raj mu určite dá pár balíčkov navyše zadarmo.

Na hodine francúzštiny sa Ben naučil, ako sa povie: „Neviem nič o tých, ako tomu hovoríte,

‚korunovačných klenotoch', som len úbohý francúzsky chlapec z roľníckej rodiny," pre prípad, že by musel predstierať, že je úbohý francúzsky chlapec z roľníckej rodiny, a mohol tak utiecť z miesta činu.

Na španielčine sa naučil povedať: „Neviem nič o tých, ako tomu hovoríte, ‚korunovačných klenotoch', som len úbohý španielsky chlapec z roľníckej rodiny," pre prípad, že by musel predstierať, že je úbohý španielsky chlapec z roľníckej rodiny, a mohol tak utiecť z miesta činu.

Na nemčine sa naučil povedať... myslím, že viete čo.

Na fyzike učiteľa bombardoval otázkami na tému, ako sa dostať cez nepriestrelné sklo. Totiž, aj keď sa človek dostane do klenotnice, získať šperky nebude jednoduché, pretože sú za sklom hrubým niekoľko centimetrov.

Na výtvarnej výchove urobil zo zápaliek dokonalý model Toweru a mohol si tak vopred pripraviť trúfalú lúpež v zmenšenej podobe.

Týždeň prešiel, ani nevedel ako. V škole nikdy nebola taká zábava. A najdôležitejšie bolo, že Ben sa prvýkrát v živote nevedel dočkať, kedy pôjde k babke.

V piatok pred koncom vyučovania mal pocit, že má všetky potrebné údaje na realizáciu odvážneho plánu.

Príbeh krádeže korunovačných klenotov bude v správach celé týždne, dostane sa na všetky internetové stránky, vyzdobí titulky novín po celom svete. Ale nikto, skutočne nikto nebude z krádeže podozrievať drobnú starenku a jedenásťročného chlapca. Vyviaznu z najväčšej lúpeže storočia!

18

Návštevné hodiny

„Dnes nemôžeš ísť k babke," povedal otec. Bol piatok, štyri hodiny popoludní a Ben práve prišiel zo školy. Dosť sa čudoval, že je oco doma tak skoro. Obyčajne končí zmenu v supermarkete o ôsmej.

„Prečo nie?" Ben si nemohol nevšimnúť otcov ustarostený výraz.

„Mám zlé správy, synak."

„Aké?" Bena tiež prepadli starosti.

„Babka je v nemocnici."

Trocha neskôr, keď sa im konečne podarilo nájsť

parkovacie miesto, prešiel Ben s rodičmi cez automatické dvere nemocnice. Ben sa bál, či tu mama s otcom vôbec babku nájdu. Nemocnica bola neskutočne vysoká a široká – obrovský labyrint chorôb.

Boli v nej výťahy, ktoré človeka doviezli k ďalším výťahom. Niekoľko kilometrov dlhé chodby.

Všade boli tabule, ktorým Ben nerozumel:

KARDIOLÓGIA
RÁDIOLÓGIA
PÔRODNICA
URGENT
MAGNETICKÁ REZONANCIA

Zmätených pacientov na posteliach s kolieskami alebo na vozíčkoch prevážali hore-dolu sanitári a za nimi pobiehali sestričky a lekári, ktorí vyzerali, akoby nespali už niekoľko dní.

Konečne našli blok, v ktorom ležala babka. Bolo to na devätnástom poschodí. Ben ju na prvý pohľad nespoznal.

Vlasy mala pričapené k hlave, nemala okuliare ani zuby v ústach a nebola oblečená v šatách, ale v nemocničnej nočnej košeli. Vyzeralo to, akoby jej vzali všetko, čo ju robilo babkou, a zostala jej len telesná schránka.

Benovi bolo z toho pohľadu veľmi smutno, ale usiloval sa to zakryť. Nechcel ju rozrušiť.

„Ahojte, moji milí," povedala. Mala zastretý hlas a nebolo jej dobre rozumieť. Ben sa musel zhlboka nadýchnuť, aby sa nerozplakal.

„Ako sa cítiš, mami?" opýtal sa oco.

„Nie najlepšie," odvetila. „Spadla som."

„Spadla?" opýtal sa Ben.

„Áno. Veľmi si to nepamätám. Bola som v špajze a chcela som si vziať plechovku s kapustovou polievkou a zrazu som sa ocitla na zemi a hľadela som do stropu. Sesternica Edna mi niekoľkokrát volala z domova dôchodcov. Keď som nedvíhala, zavolala pohotovosť."

„Kedy si spadla, babi?" opýtal sa Ben.

„Počkaj, porozmýšľam. Na dlážke som ležala dva dni, takže to muselo byť v stredu ráno. Nemohla som sa postaviť a zdvihnúť telefón."

„Je mi to ľúto, mami," povedal oco tichým hlasom. Ben ho ešte nikdy nevidel takého rozrušeného.

„To je zvláštne, pretože v stredu som vám chcela zavolať, len tak sa povypytovať, ako sa máte," klamala mama. Nikdy v živote babke nezavolala, a ak niekedy volala babka k nim, mama telefonát ukončila ihneď, ako to bolo možné.

„Nemala si to odkiaľ vedieť, moja milá," povedala babka.

„Ráno mi robili všelijaké vyšetrenia, aby zistili, čo mi je. Snímky, ultrazvuky a tak. Zajtra budú výsledky. Dúfam, že tu nebudem dlho."

„Aj ja dúfam," povedal Ben.

Nastalo nepríjemné ticho.

Nikto veľmi nevedel, čo robiť alebo povedať.

Mama váhavo štuchala do ocka a pokukovala na hodinky.

Ben vedel, že sa v nemocnici nikdy necíti dobre. Keď mu pred dvoma rokmi vyberali slepé črevo, prišla za ním len párkrát, potila sa a bola nervózna.

„Už by sme mali ísť," povedal otec.

„Áno, áno, choďte," pritakala babka bezstarostným hlasom, ale oči mala smutné. „Nerobte si o mňa starosti, budem v poriadku."

„Nemohli by sme ešte zostať?" ozval sa Ben.

Mama sa naňho stiesnene pozrela a otec to zaregistroval.

„Nie, poďme, Ben. Babka si potrebuje poriadne pospať," otec sa postavil a chystal sa odísť. „Mám dosť práce, mami, ale pokúsim sa cez víkend zastaviť."

Pohladkal babku po hlave ako psíka. Bolo to neohrabané gesto. Otec neprejavoval city veľmi rád.

Otočil sa ku dverám a mama sa trochu usmiala a už aj ťahala Bena za zápästie cez celú izbu.

Neskôr v ten večer Ben vo svojej izbe odhodlane triedil všetky informácie, ktoré cez týždeň v škole zozbieral.

My im ukážeme, babi, vyhrážal sa v duchu. *Ja to pre teba urobím.* Teraz, keď bola babka chorá, bol ešte odhodlanejší.

Až do večere plánoval najväčšiu lúpež v dejinách.

19

Malá výbušnina

Na druhý deň ráno mama s ocom púšťali jednu pieseň za druhou a vyberali synovi hudbu na tanečnú súťaž. Ben sa zatiaľ vytratil z domu a na bicykli sa vybral do nemocnice.

Keď konečne našiel babkino oddelenie, uvidel na jej posteli sedieť lekára v okuliaroch. Ben aj tak nadšene vošiel dovnútra, aby s babkou prediskutoval svoj plán.

Lekár držal babke ruku a pritom sa jej pomaly, pokojne prihováral.

„Ben, nechaj nás, prosím, chvíľu osamote," povedala babka. „S pánom doktorom sa rozprávame o, ehm, ženských veciach."

„Aha, dobre," odvetil Ben. Vytratil sa von z izby a listoval si nejaký trápny leták s názvom *Dajte si pauzu.*

Keď lekár prechádzal popri ňom, povedal mu: „Je mi to ľúto," a odišiel.

Ľúto? rozmýšľal Ben. *Čo mu je ľúto?*

A váhavo sa vybral k babkinej posteli.

Babka si utierala oči vreckovkou, a keď zbadala Bena, prestala a strčila si ju do rukáva nočnej košele.

„Si v pohode, babi?" opýtal sa nežne.

„Áno, som v poriadku. Len mi niečo padlo do oka."

„Tak prečo mi lekár povedal: ,Je mi to ľúto'?"

Babka chvíľu vyzerala zmätene.

„No, podľa mňa mu bolo ľúto, že ťa svojou prítomnosťou oberal o čas. Ukázalo sa, že mi vôbec nič nie je."

„Vážne?"

„Áno, lekár mi doniesol výsledky vyšetrení. Som zdravá ako repa."

Ben toto slovné spojenie ešte nepočul, ale pomyslel si, že musí byť veľmi, veľmi zdravá.

„To je skvelá správa, babi," vykríkol. „Viem, že si s tým predtým nesúhlasila, ale..."

„Hovoríš o tom, na čo myslím, Ben?" opýtala sa.

Ben prikývol.

„Povedala som ‚nie' najmenej stokrát."

„Áno, ale..."

„Ale čo, mladý muž?" opýtala sa baka.

„Našiel som slabé miesto Toweru. A celý týždeň som plánoval, ako by sme mohli ukradnúť klenoty. Myslím, že sa to dá."

Babka na prekvapenie vyzerala, že ju to zaujalo.

„Zatiahni závesy a hovor tichšie," zašepkala a dala si strojček na maximum.

Ben rýchlo zatiahol závesy okolo babkinej postele a sadol si vedľa nej.

„Takže, presne o polnoci preplávame v potápačskom neopréne Temžu a tuto nájdeme staré kanalizačné potrubie," šepkal Ben a ukazoval jej podrobný nákres v *Inštalatérovi*.

„Máme sa tam dostať cez potrubie?! V mojom veku?" zvolala babka. „Maj rozum, chlapče!"

„Pssst, tichšie," upozornil ju Ben.

„Prepáč," zašepkala babka.

„Ten nápad nie je hlúpy. Je skvelý. Potrubie je široké, pozri..."

Babka sa nadvihla z vankúša a lepšie sa prizrela obrázku. Preštudovala si ho. Potrubie skutočne vyzeralo dostatočne široké.

„Keď sa dostaneme dovnútra cez potrubie, nikto si nič nevšimne," pokračoval Ben. „Všade naokolo, po celom obvode budovy sú ozbrojené hliadky, bezpečnostné kamery a laserové senzory. Keby sme si vybrali inú cestu, nemali by sme najmenšiu šancu."

„Áno, áno, dobre, ale ako sa, prepánajána, dostaneme do klenotnice, kde sú klenoty uložené?" zašepkala.

„Potrubie sa končí tu, v miestnosti, kam aj králi chodia pešo."

„Prosím?"

„Hovorím o záchode."

„Aha, o to teda ide."

„Zo záchoda to je už beh na krátku trať."

„Uhm."

„Teda, myslel som *prechádzku* na krátku trať cez dvor do klenotnice. V noci sú dvere do nej, samozrejme, zamknuté, dokonca na dvakrát."

„Možno aj na trikrát!" babka sa netvárila veľmi optimisticky. Takže ju Ben musel presvedčiť!

„Dvere sú z ocele, takže vyvŕtame zámky."

„Ale koruny, žezlá a všetky tie haraburdy sú za nepriestrelným sklom, Ben," tvrdila babka.

„Áno, ale bomba to sklo zdolá. Umiestnime tam výbušninu a sklo rozbijeme."

„Výbušninu?!" vyprskla babka. „Odkiaľ ju, prepána, zoženieme?"

„Potiahol som zo školského laboratória potrebné chemikálie," uškrnul sa Ben. „Som si úplne istý, že dokážem vyrobiť bombu, ktorá to sklo rozbije."

„Ale hliadka bude počuť výbuch, Ben. Nie, nie, nie. Prepáč, ale toto nevyjde!" vykríkla babka tak potichu, ako sa len dalo.

„Myslel som na to," povedal Ben nadšený vlastnou genialitou.

„Musíš ísť v ten deň vlakom do Londýna skôr a predstierať, že si milá babička."

„Ja *som* milá babička!" zaprotestovala babka.

„Veď vieš, ako to myslím," pokračoval s úsmevom Ben. „Zo stanice pôjdeš autobusom číslo sedemdesiatosem až k Toweru. Hliadke dáš čokoládovú tortu, v ktorej bude čosi, čo ich uspí."

„Och, to by som mohla využiť svoj špeciálny bylinkový uspávací sirup," potešila sa babka.

„Áno, vynikajúco," súhlasil Ben. „Takže hliadka zje tortu a do noci tvrdo zaspí."

„Čokoládovú tortu?" protestovala babka. „Podľa mňa vojaci uprednostnia môj domáci kapustník*."

„Ehm," Ben nebol veľmi nadšený.

Nechcel babku nahnevať, ale v žiadnom prípade neexistoval nikto taký, kto by si dal kus babkinho kapustníka a nemal by s ňou dôverný vzťah. A keby ho aj mal, pravdepodobne by koláč vypľul, len čo by sa babka pozrela iným smerom.

„Myslím, že čokoládová torta zo supermarketu by bola lepšia."

„Nuž, zdá sa, že si všetko premyslel. Som ohromená. Tá myšlienka použiť potrubie je geniálna."

*Babkin recept na KAPUSTNÍK:

🍴 Vezmite šesť starých smradľavých kapúst.

🍴 Roztlačte ich tlačidlom na zemiaky.

🍴 Vysypte kapustovú masu na pekáč.

🍴 Pečte, kým kapustou nenasmradne celý dom.

🍴 Počkajte mesiac, kým kapustník nezoschne.

🍴 Nakrájajte a servírujte (najlepšie aj s lavórom na vracanie).

Ben bol na seba veľmi hrdý. „Ďakujem."

„Ale ako si o tom vedel? To vás v škole neučia, však? O potrubiach a podobne."

„Nie," povedal Ben. „To len... Vždy som mal rád inštalatérstvo. A spomenul som si, že v mojom obľúbenom časopise písali o starých potrubiach." Ukázal jej *Inštalatéra*. „Mojím snom je stať sa inštalatérom."

Sklopil zrak, lebo očakával, že ho babka vyhreší alebo vysmeje.

„Prečo sa dívaš do zeme?" opýtala sa babka.

„Nó... viem, že byť inštalatérom je hlúpe a nudné. Viem, že by som mal túžiť po zaujímavejšej práci." Cítil, ako mu očervenela celá tvár.

Babka ho chytila za bradu a nežne mu zodvihla hlavu. „Nič z toho, čo si urobil, nie je ani nudné, ani hlúpe," povedala. „Ak sa chceš stať inštalatérom, ak je to tvoj sen, nikto ti ho nemôže vziať. Rozumieš? V živote musíš ísť za svojimi snami. Inak budeš len mrhať časom."

„Asi... asi rozumiem."

„To dúfam! Naozaj. Hovoríš, že inštalatérstvo je nudné, a vidíš, naplánoval si krádež korunovačných klenotov. Môjtybože... a to všetko vďaka inštalatérstvu!"

Ben sa usmial. Babka asi mala pravdu.

„Ale musím sa ťa niečo opýtať, Ben."

„Áno?"

„Ako sa odtiaľ dostaneme? Keď nás prichytia pri čine, ty moja hlavička, náš plán úplne stroskotá."

„Viem, babi, rozmýšľal som, že by sme mohli odísť tou istou cestou, ktorou prídeme, teda cez potrubie a potom opäť preplávať Temžu. Na šírku má len päťdesiat metrov. Mám medailu za plávanie na sto metrov. Bude to hračka."

Babka si zahryzla do pery. Zjavne si nemyslela, že ten plán bude hračka, tobôž nie nočné preplávanie silného prúdu rieky.

Ben sa na ňu s nádejou pozrel.

„Tak čo, babi, ideš do toho? Si predsa ešte nejaká gaunerka?"

Babka sa na chvíľu zamyslela.

„Prosím," žobronil Ben. „Strašne rád som počúval o tvojich dobrodružstvách a chcem ísť s tebou na akciu. Bude to tá najdôležitejšia akcia: krádež korunovačných klenotov. Sama si povedala, že je to sen každého veľkého zlodeja. Tak čo, babi? Súhlasíš?"

Babka sa pozrela na vnukovu rozžiarenú tvár. Po chvíli zamrmlala: „Dobre."

Ben vyskočil zo stoličky a objal ju. „Skvelé!"

Babka zodvihla slabé ruky a tiež ho objala. Bolo to prvý raz za celé roky.

„Ale mám jednu podmienku," povedala babka smrteľne vážne.

„Akú?" zašepkal Ben.

„Na druhý deň, teda noc ich vrátime."

20

Bum-bum, bum-bum...

Ben neveril vlastným ušiam. V žiadnom prípade nebude riskovať a kradnúť korunovačné klenoty len preto, aby ich potom vracal.

„Ale veď majú cenu miliónov, možno miliárd...“ lamentoval.

„Viem, ale keby sme sa ich pokúsili predať, určite by nás chytili,“ namietala babka.

„Ale...“

„Žiadne ale, chlapče. Vrátime ich. Vieš, ako som sa za celé tie roky vyhla väzeniu? Nepredala som ani jeden šperk. Robila som to len pre zábavu.“

„Ale nechala si si ich," nesúhlasil Ben. „Aj keď si ich nepredala, máš ich všetky v škatuli od sušienok."

Babka žmurka. „Hej, to som bola mladá a hlúpa. Za tie roky som prišla na to, že kradnúť sa nemá. A aj ty to musíš pochopiť," prísne sa naňho pozrela.

Bena sa to trochu dotklo. „Chápem, samozrejme, že to chápem."

„Vypracoval si skvelý plán, Ben, skutočne skvelý. Ale tie klenoty nám nepatria, jasné?"

„Jasné," privolil. „Nepatria nám." Teraz sa trochu hanbil, že ho nápad vrátiť klenoty tak pobúril.

„A nezabúdaj, že všetci policajti v krajine, možno aj na svete, budú tie klenoty hľadať. Bude po nás sliediť celý Scotland Yard. Keby ich u nás našli, boli by sme vo väzení až do smrti. V mojom prípade by to nebolo až také zlé, ale ty by si tam mohol byť aj šesťdesiat alebo sedemdesiat rokov."

„Máš pravdu," súhlasil Ben.

„A kráľovná vyzerá na príjemnú dámu v rokoch. Je takmer rovnako stará ako ja. Nerada by som ju rozrušila."

„Ani ja," zamrmlal Ben. Kráľovnú videl v správach veľakrát a vyzerala milo, usmievala sa a všetkým mávala zo zadného miesta v kočiari.

„Urobíme to len tak, zo zábavy, dobre?"

„Dobre teda," privolil Ben. „A kedy pôjdeme na to? Musíme to urobiť v piatok, keď ma naši dovezú k tebe. Povedal ti lekár, kedy ťa pustia?"

„No, vlastne áno, povedal, že môžem odísť, kedy budem chcieť."

„Paráda!"

„Ale musíme to urobiť čím skôr. Čo tak budúci piatok?"

„Nie je to priskoro?"

„Vôbec nie, tvoj plán je výborne premyslený, Ben."

„Ďakujem," žiaril Ben. Prvýkrát cítil, že je naňho pyšný nejaký dospelák.

„Keď odtiaľto vypadnem, niekde potiahnem veci, ktoré budeme potrebovať. A teraz už bež, Ben, stretneme sa budúci piatok ako obyčajne."

Ben odtiahol záves. A priamo za ním stál pán Parker, babkin zvedavý sused.

Vystrašený Ben cúvol pár krokov k posteli a rýchlo strčil *Inštalatéra* pod pulóver.

„A čo vy tu hľadáte?" opýtal sa Ben.

„Bezpochyby dúfa, že ma zastihne pri kúpaní," poznamenala babka.

Ben sa zachichotal.

Pán Parker hľadal slová: „Nie, nie, ja..."

„Sestra! HLAVNÁ SESTRA!" hlasno kričala babka.

„Počkajte!" zastavil ju vystrašene pán Parker. „Som si istý, že som vás počul zhovárať sa o korunovačných klenotoch."

Už bolo neskoro. Hlavná sestra, neobyčajne vysoká žena s veľkými nohami rýchlo a hlučne pribehla do izby.

„Áno?" opýtala sa. „Deje sa niečo?"

„Tento muž ma sledoval cez záves," povedala babka.

„Je to pravda?" dôrazne sa dožadovala odpovede sestrička a nahnevane hľadela pánovi Parkerovi priamo do očí.

„Noo, počul som, že sa..." zamrnčal pán Parker.

„Minulý týždeň špehoval babku, keď polonahá cvičila jogu," žaloval Ben.

Tvár hlavnej sestry až sfialovela od hrôzy.

„Vypadnite z môjho oddelenia, vy prasa hnusné!" zakričala.

Dotknutý pán Parker cúvol pred zúrivou sestričkou a zdupkal z oddelenia. Zastavil sa pri lietacích dverách, zakričal babke a Benovi: „EŠTE SA UVIDÍME!" a zmizol.

„Ak sa ten muž vráti, oznámte mi to, prosím," povedala hlavná sestra a jej tvár pomaly dostávala normálnu farbu.

„Oznámim," odvetila babka a sestrička sa vrátila späť k práci.

„Možno všetko počul," zašepkal Ben.

„Možno," prisvedčila babka. „Ale myslím si, že ho sestrička nadobro odradila."

„Dúfam." Bena trápil tento nešťastný vývoj situácie.

„Ešte stále chceš do toho ísť?" opýtala sa babka.

Ben sa cítil ako na horskej dráhe. Človeku sa chce aj vystúpiť aj zostať. Hrôza a pôžitok naraz.

„Áno!" povedal.

„Hurááá!" babka sa naňho zoširoka usmiala.

Ben už bol na odchode, no ešte sa otočil: „Ja... mám ťa rád, babi."

„Aj ja ťa mám rada, môj malý Beny," žmurkla naňho.

Ben sa zarazil. Teraz má babku gaunerku, čo je naozaj skvelé, ale bude ju musieť naučiť, aby ho oslovovala Ben!

* * *

Ben bežal po chodbách a srdce mu rýchlo bilo.

Bum-bum, bum-bum...

Bol od napätia celý bez seba. On – jedenásťročný chlapec, ktorý okrem toho, že sa v lunaparku na ruskom kole vyvracal kamošovi na hlavu, neurobil v živote nič, čo by stálo za to –, sa teraz zapojí do najodvážnejšej lúpeže, akú kedy videl svet.

Vybehol z nemocnice a začal hľadať kľúč, aby si odomkol bicykel od zábradlia. Pohľadom zablúdil nadol a zbadal niečo neuveriteľné.

Babka.

To by nebolo veľmi nezvyčajné.

Ale toto áno:

Spúšťala sa po múre nemocnice.

Pozväzovala si plachty a rýchlo liezla.

Ben neveril vlastným očiam. Vedel, že babka je pravá gaunerka, ale s týmto skutočne nerátal.

„Babi, čo to, prepánajána, robíš?!" kričal na ňu cez parkovisko.

„Nefunguje výťah, zlatko! Vidíme sa budúci piatok. Nieže prídeš neskoro!" zakričala, keď sa dotkla zeme. Naskočila na svoj vozík pre invalidov a odfrčala, teda *odvrčala* domov.

* * *

Ben taký dlhý týždeň ešte nezažil. Celý čas čakal na piatok. Každá minúta, hodina, každý deň sa mu zdali ako večnosť.

Pripadalo mu zvláštne predstierať, že je iba obyčajný chalan, keď bol jednou z najväčších zločineckých kapacít všetkých čias.

Nakoniec sa piatkového večera dočkal. Na dvere jeho izby ktosi zaklopal.

KLOP-KLOP-KLOP.

„Si pripravený, synček?" opýtal sa oco.

„Áno," Ben sa usiloval tváriť čo najnevinnejšie, a to je dosť ťažké, keď sa človek cíti veľmi vinný. „Zajtra ma nemusíte vyzdvihnúť príliš skoro, lebo s babkou obyčajne hrávame scrabble až do noci."

„Nebudete hrať scrabble, synak," povedal oco.

„Nie?"

„Nie, synček. Dnes vôbec nepôjdeš k babke."

„Ako to?" znepokojil sa Ben. „Znova je v nemocnici?"

„Nie, to nie."

Ben si vydýchol, ale potom znova znervóznel. „A prečo k nej nejdem?"

Plán bol pripravený a nemohli strácať čas!

„Pretože," povedal otec, „dnes je predsa tanečná súťaž detí do dvanásť rokov. Konečne nastala tá veľká chvíľa, keď môžeš zažiariť!"

21

Stepovacia topánka

Ben ticho sedel na zadnom sedadle hnedého autíčka vo svojom kostýme Srdiečková serenáda.

„Dúfam, že si na súťaž nezabudol, Ben," mama si na sedadle spolujazdca robila mejkap, a keď prešli cez výmoľ, rúžom si pomaľovala celú tvár.

„Nie, jasné, že nie, mami."

„Neboj sa, synak," otec hrdo viezol syna na tanečnú súťaž a k nehynúcej sláve. „V izbe si veľmi usilovne trénoval, viem, že od všetkých porotcov dostaneš tie najvyššie známky. Samé desiatky!"

„A čo babka? Nebude ma čakať?" robil si starosti Ben.

Dnes v noci mali ukradnúť korunovačné klenoty a miesto toho bol na ceste na tanečnú súťaž, a to nezatancoval v živote jediný krok.

Za posledné dva týždne na súťaž ani len nepomyslel a teraz je zrazu tu.

Fakt tam ide.

Má tancovať sólový tanec.

Pred plným hľadiskom...

A nepripravil si nič.

„O babku si nerob starosti," povedala mama. „Veď ani nevie, aký je dnes deň." Zasmiala sa, vtom auto zastalo na červenú a maskara sa jej rozmazala na čele.

Došli k radnici. Ben videl, ako sa do budovy hrnie celá rieka farebných elastických látok.

Keby niekto zo školy zistil, že ide na súťaž, neprežil by to. Tyrani by tak dostali dostatok zbraní na to, aby mu do smrti robili zo života peklo. A navyše nenacvičoval nijaký tanec. Ani raz. Nemal ani poňatia, čo urobí na pódiu.

Bola to súťaž o najlepšieho nového miestneho tanečníka. Súťažilo sa v kategóriách páry, sólové tance dievčat a sólové tance chlapcov.

Víťazi súťaže sa mali zúčastniť na krajskom kole a víťazi krajského kola potom na celoštátnom.

Bol to prvý krok na ceste ku kariére medzinárodnej tanečnej hviezdy. A hosťom toho večera nebol nikto iný ako lámač ženských sŕdc z *Let's Dance* a mamin obľúbenec Flavio Flavioli.

„Je skvelé, že dnes večer tu je toľko krásnych žien," priadol svojím talianskym prízvukom.

Naživo sa leskol ešte viac. Vlasy mal uhladené dozadu, zuby žiarivo biele a oblečenie nalepené na tele ako potravinovú fóliu. „Ste pripravení na rumbu?"

Celý dav zakričal: „Áno!"

„Flavio vás nepočuje, pýtal som sa: Ste pripravení na rumbu?"

„ÁNO!" všetci zakričali ešte raz a ešte hlasnejšie.

Ben nervózne načúval zo zákulisia. Začul jačanie nejakej ženy: „Milujem ťa, Flavio!" Ten hlas mu podozrivo pripomínal mamu.

Ben sa poobzeral po šatni. Pokojne to mohol byť aj snem najodpornejších detí na svete. Vyzerali nechutne dospelo, mali na sebe smiešne lesklé elastické odevy, boli natreté samoopaľovacími krémami a zuby mali také žiarivo biele, že by ste ich zbadali až z vesmíru.

Ben sa nervózne pozeral na hodinky – vedel, že k babke bude veľmi meškať. Čakal a čakal, kým prečačkaní tanečníci zatancujú svoj quickstep, džajv, valčík, viedenský valčík, tango, foxtrot a ča-ča.

Nakoniec prišiel rad na Bena. Keď Flavio ohlásil jeho meno, stál v zákulisí.

„A teraz príde na rad chlapec z tohto mesta, ktorý nás poteší sólovým tancom. Nech sa páči, Ben!"

Ben sa vo svojom lesklom kostýme, ktorý mu nepohodlne obopínal zadok, doplahočil na scénu a Flavio z nej odplával.

Ben stál sám uprostred tanečného parketu. Reflektor svietil priamo naňho. Začala hrať hudba. Modlil sa, aby sa mu nejako podarilo utiecť. Bol by šťastný, keby sa rozpútalo hocičo vrátane:

požiaru;

zemetrasenia;

tretej svetovej vojny;

ďalšej doby ľadovej;

náletu smrtiaceho roja včiel;

ničivého dopadu meteoritu z vesmíru, ktorý by zasiahol Zem a vybočil ju z vlastnej osi;

cunami;

útoku stoviek ľudožrútskych zombíkov na Flavia Flavioliho;

hurikánu alebo tornáda (Ben nevedel, aký je medzi nimi rozdiel, ale dobrý by bol hociktorý z nich);

únosu Bena mimozemšťanmi, ktorí by ho nepustili na Zem nasledujúcich tisíc rokov;

návratu dinosaurov na Zem cez nejaký časopriestorový portál, vrazili by do budovy cez strechu a potom by zožrali všetkých prítomných;

výbuchu sopky, žiaľ, v blízkom okolí zatiaľ žiadna sopka nie je;

útoku obrích slimákov, postačil by aj útok stredne veľkých slimákov.

Ben nebol náročný. Dobrá by bola hociktorá z vyššie uvedených možností.

Hudba už istý čas hrala a Ben si uvedomil, že sa ešte nepohol. Pozrel na rodičov, ktorí konečne videli svojho syna na pódiu a žiarili pýchou.

Pozrel sa do zákulisia na večne usmiateho Fla-via, ktorý sa naňho povzbudivo uškŕňal.

Nech sa teraz otvorí zem...

Neotvorila sa.

Nemal inú možnosť, len niečo urobiť. Hocičo.

Ben začal hýbať nohami, rukami a potom aj hlavou. Ani jedna časť jeho tela sa nehýbala v časovej následnosti a nasledujúcich päť minút metal telom na tanečnom parkete v štýle, ktorý nemožno nazvať inak ako nezabudnuteľným. Čím viac naň chce človek zabudnúť, tým menej sa mu to darí.

Ben sa na konci po skončení skladby pokúsil o výskok a hlučne dopadol na parket.

Nastalo ticho. *Ohlušujúce ticho.*

Ben počul tlieskať len jeden pár rúk. Pozrel sa do hľadiska. Bola to mama.

Pridal sa ďalší pár rúk. To bol otec.

Niekoľko sekúnd si myslel, že to je situácia, ktorú vídať vo filmoch, keď smoliar napriek všetkej nepriazni triumfuje, že bude stáť celá hala a všetci budú tlieskať miestnemu chlapcovi, ktorý nakoniec potešil svojich blízkych a zároveň znovuobjavil tanec.

Koniec.

Ale nie. Stalo sa niečo úplne iné.

Po niekoľkých sekundách začalo byť rodičom trápne, že tlieskajú jediní, a stíchli.

Flavio sa vrátil na scénu.

„Nuž, toto bolo, to bolo..." Zdalo sa, že taliansky krásavec po prvý raz nenachádza slová. „Prosím, porota, poviete nám vaše známky pre Bena?"

„Nula," povedal prvý.

„Nula."

„Nula."

Už len jedna známka. Skončí Ben so štyrmi nulami?

Poslednej porotkyni prišlo ľúto milého malého chlapca, ktorý urobil svojej rodine hanbu na niekoľko generácií ukážkou toho, že nemá absolútne žiadny talent. Pod stolom preberala tabuľky so známkami. „Jeden," oznámila.

Z hľadiska sa ozval hlasný piskot a posmešky,

a tak svoje hodnotenie opravila. „Prepáčte, myslela som nulu," povedala s pôvodnou tabuľkou v ruke.

„Hodnotenia porotcov nás trochu sklamali," Flavio sa znova pokúšal usmiať. „Ale, milý Ben, ešte nie je všetko stratené. Keďže si jediný chlapec, ktorý súťažil v kategórii sólový tanec chlapcov, stávaš sa víťazom. Rád by som ti odovzdal túto plastovú sošku."

„Dámy a páni, chlapci a dievčatá, hlasný potlesk pre Bena!"

Znova ticho. Tlieskať sa neodvážili už ani mama a otec.

V hľadisku sa znova ozval piskot a potom posmešky a skandovanie: „HANBA! NIE! TRAPAS!"

Flaviov dokonalý úsmev mu zmrzol na tvári. Sklonil sa k Benovi a zašepkal mu do ucha: „Mal by si odísť, kým ťa nedobijú."

V tej chvíli niekto zo zadnej časti hľadiska hodil stepovaciu topánku. Veľkou rýchlosťou letela vzduchom. Zrejme bola namierená na Bena, ale namiesto neho trafila Flavia priamo medzi oči a on padol v bezvedomí na zem.

Správny čas na ospravedlnenie a odchod, pomyslel si Ben.

22

Zúrivý dav v nablýskaných šatách

Zúrivý dav nadšencov spoločenských tancov sa hnal po ulici za hnedým autíčkom. Ben sa pozeral cez zadné okno a rozmýšľal, že zúrivý dav je asi prvýkrát v histórii oblečený v elastických úboroch.

Oco šliapol na plyn...

V V V V V V V V V V V V V V V V
V Ŕ Ŕ Ŕ Ŕ Ŕ Ŕ Ŕ Ŕ Ŕ Ŕ Ŕ Ŕ Ŕ Ŕ
Ŕ Ŕ Ŕ Ŕ Ŕ Ŕ Ŕ Ŕ Ŕ Ŕ Ŕ Ŕ Ŕ Ŕ !

... zahli za roh a stratili dav z dohľadu.

„Ešte šťastie, že som tam bola a že som Flaviovi dala umelé dýchanie z úst do úst!" ozvala sa mama z predného sedadla.

„Len omdlel, mami. Neprestal dýchať," zareagoval Ben zo zadného.

„Opatrnosti nikdy nie je dosť," povedala mama a upravovala si rúž. Väčšina z neho bola teraz na Flaviovej tvári a krku.

„Tvoje číslo bolo jedným slovom hrozné a trápne," vyhlásil oco.

„To sú dve slová," opravil ho Ben s chichotom. „A keď rátaš ‚a', tak tri."

„Neuťahuj si zo mňa, mladý muž," vyštekol oco. „Tu nie je nič na smiech. Bola to hanba. Hanba!"

„Áno, hanba," lamentovala mama. Keby sa Ben mohol vytratiť, dal by za to čokoľvek. Obetoval by celú svoju minulosť aj budúcnosť, keby teraz nemusel sedieť na zadnom sedadle rodičovského auta.

„Prepáč, mami," ospravedlnil sa. „Chcel som, aby ste na mňa boli hrdí, fakt." Bola to pravda. Aj keď si Ben občas myslel, že rodičia sú hlupáci, zahanbiť ich bolo to posledné, čo chcel.

„Robíš to zvláštnym spôsobom," povedala mama.

„Ja len nerád tancujem, to je celé."

„O to nejde. Tvoja matka strávila nad kostýmom pre teba celé hodiny," vytkol mu oco.

Je zvláštne, že keď máte problémy, rodičia o sebe navzájom hovoria ako o otcovi a matke, nie ako o ockovi a mame.

„Na scéne si sa ani trochu nesnažil," pokračoval oco. „Myslím, že si netrénoval ani raz. Ani raz. My s matkou pracujeme dňom a nocou, aby si mohol využiť príležitosť, akú sme my nikdy nemali, a ty sa k nám správaš takto..."

„... neúctivo," dopovedala mama.

„Neúctivo," zopakoval otec.

Benovi stiekla po líci slza. Oblizol ju. Bola horká. Sedeli potichu, až kým autíčko nedorachotilo domov.

Bez slova vystúpili a vošli do domu. Oco odomkol vchodové dvere a Ben hneď vybehol do svojej izby a zabuchol dvere. Ešte v kostýme si sadol na posteľ.

Nikdy sa necítil osamelejšie. Už celé hodiny meškal. Sklamal nielen mamu s ocom, ale aj človeka, ktorého začínal mať radšej, ako všetkých ostatných – babku.

Už nikdy neukradnú korunovačné klenoty.

A v tej chvíli niekto zaklopal na okno.

Babka.

Oblečená v potápačskom neopréne vyliezla po rebríku až k vnukovmu oknu.

„Pusti ma dnu!" otvárala ústa ako ryba na suchu.

Musel sa usmiať. Otvoril okno a vtiahol ju dnu ako rybár veľrybu.

„Veľmi meškáš," karhala ho, keď jej pomáhal preliezť k posteli.

„Viem, prepáč," povedal Ben.

„Dohodli sme sa o siedmej a je pol jedenástej. Sirup na spanie, ktorý som dala hliadke v Toweri, čoskoro prestane účinkovať."

„Fakt ma to mrzí, je to dlhý príbeh," ospravedlňoval sa Ben.

Babka si sadla na posteľ a prezerala si ho od hlavy po päty. „A prečo si oblečený ako pripečená valentínska pohľadnica?" zaujímala sa.

„Už som povedal, že to je dlhý príbeh..."

Bolo trochu smiešne, keď babka v potápačskom skafandri a okuliaroch kritizovala jeho oblečenie, ale nemal čas zabŕdať.

„Rýchlo, chlapče, obleč si potápačský oblek a rýchlo za mnou po rebríku. Naštartujem vozíček a do toho."

„Naozaj ideme ukradnúť korunovačné klenoty, babi?"

„Ideme sa o to pokúsiť," usmiala sa babka.

23

Dolapení polišmi

Frčali cez mesto: babka riadila a Ben bol prilepený na nej. Obaja mali na sebe neoprény a potápačské okuliare. Babka si zabalila kabelku do kilometrového kusu potravinovej fólie a položila si ju pred seba do košíka.

Všimla si Raja, ako zatvára obchodík s časopismi, novinami a sladkosťami.

„Dobrý deň, milý Raj, nezabudnite mi v pondelok odložiť jedny mentolky!" zakričala.

Raj sa na nich pozrel a od údivu otvoril ústa.

„Neviem, čo s ním je, normálne býva taký zho-
vorčivý!"

Cesta do Londýna trvala dlho, najmä na vozíč-
ku, ktorý s dvoma jazdcami dosahoval maximálnu
rýchlosť päť kilometrov za hodinu.

Ben po chvíli zistil, že cesta je čoraz širšia, najskôr dva pruhy, potom tri.

Keď popri nich prefrčali desaťtonové kamióny a takmer zmietli vozík z cesty, zakričal zozadu: „Dočerta, veď my sme na diaľnici!"

„Nemal by si nadávať, mladý muž," ozvala sa babka. „A teraz sa pevne drž, šliapnem na to."

O chvíľu presvišťal len niekoľko centimetrov od ich hláv obrovský tanker s naftou a trúbil na nich.

„Do psej riti!" zakričala babka.

„Babi!" Bena to šokovalo.

„Hups, to mi len tak vykĺzlo," povedala. Dospelí nikdy nejdú príkladom.

„Neuraz sa, babi, ale nie som si istý, či je tento dopravný prostriedok stavaný na diaľnice," skonštatoval Ben. Práve v tej chvíli popri nich preletel ešte väčší kamión. Ben cítil, ako sa vozík dostal do víru a kolesá sa na chvíľu odlepili od cesty.

„Zídeme na ďalšom výjazde," povedala babka. Ale to už sa za nimi rozblikali modré svetlá. „Och nie, to sú poliši. Pokúsim sa im zdrhnúť." Dupla na plyn a vozíček sa rozbehol z rýchlosti päť kilometrov za hodinu na šesť a pol.

Policajné auto išlo popri nich a policajt vnútri nahnevane gestikuloval, nech zastanú.

„Babi, asi by si mala radšej zastať," radil jej Ben. „Nemáme šancu."

„Nechaj, ja to zvládnem, zlatko."

Polícia zastala pred nimi, zatarasila im cestu a babka zastavila na krajnici. Policajné auto bolo veľké a vozík pri ňom vyzeral ako trpaslík.

„Je to váš dopravný prostriedok, madam?" opýtal sa policajt. Bol tučný a mal malé fúziky, s ktorými jeho tvár pôsobila ešte tučnejšie. Hrozne sa nafukoval, čo napovedalo, že hrešenie ľudí je jeho najobľúbenejšia činnosť. Alebo možno druhá najobľúbenejšia po jedení šišiek. Na menovke mal napísané strážmajster Fuscher.

„Nejaký problém, pán policajt?" opýtala sa nevinne babka. Potápačské okuliare mala trochu zarosené od vzrušenia.

„Áno, je tu problém. Používanie invalidných vozíčkov je na diaľnici prísne zakázané," povedal policajt povýšenecky.

(Ďalšie zakázané dopravné prostriedky sú:

Skejtbord

Kanoe

Kolieskové korčule

Osol

Nákupný vozík

Monocykel

Sane

Rikša

Ťava

Lietajúci koberec

Pštros)

„Ďakujem, že ste ma na to upozornili, pán policajt. Zapamätám si to. A teraz, ak dovolíte, trocha meškáme. Dovidenia!" povedala veselo babka a naštartovala vozík.

„Vy ste pili, madam?"

„Pred cestou som si dala trocha kapustovej šťavy."

„Mal som na mysli alkohol," povzdychol si.

„V utorok večer som jedla čokoládu s likérovou plnkou. Ráta sa aj to?"

Ben sa len chichotal.

Strážmajster Fuscher zúžil oči. „Boli by ste potom taká láskavá a vysvetlili mi, prečo máte na sebe potápačský skafander a kabelku zabalenú do potravinovej fólie?"

Tak toto si vyžadovalo vysvetlenie.

„Lebo, ehm, no..." babka hľadala slová.

Boli v úzkych.

„Pretože sme z Asociácie na propagáciu potravinových fólií," s vážnosťou v hlase sa ozval Ben.

„O takom niečom som jakživ nepočul!" povedal pohŕdavo strážmajster Fuscher.

„Sme noví," Ben na to.

„Zatiaľ máme len dvoch členov," klamala aj babka.

„Svoje stretnutia chceme udržať v tajnosti a mávame ich pod vodou, preto máme aj tie potápačské obleky."

Policajt pôsobil absolútne bezradne. Babka v kuse mlela, zjavne dúfala, že ho zmätie ešte väčšmi.

„A teraz, ak dovolíte, dosť sa ponáhľame. Musíme sa dostať do Londýna na dôležité stretnutie s Asociáciou na propagáciu bublinkových fólií. Rozmýšľame nad spojením týchto dvoch organizácií."

Strážmajster Fuscher už nenachádzal slov. „Koľko majú členov?"

„Len jedného," odpovedala mu babka. „Ale keď sa spojíme, ušetríme peniaze na čaj, kopírku, spinky na spisy a podobne. Dovidenia!"

Babka šliapla na plyn a vozíček vyrazil.

„IHNEĎ ZASTAVTE!" strážmajster Fuscher mával pred sebou tučnou rukou.

Ben od strachu znehybnel. Ešte nemá ani dvanásť a zvyšok života prežije vo väzení.

Policajt sa nahol babke k tvári.

„Odveziem vás."

24

Temné vody

„Tu to bude fajn," dirigovala babka zo zadného sedadla policajného auta. „Tu, oproti Toweru. Ďakujeme veľmi pekne."

Strážmajster Fuscher s námahou vytiahol z kufra auta vozíček. „Nabudúce, prosím, nezabudnite, že s invalidným vozíkom sa jazdí iba po chodníku, a nie po hlavnej ceste, a už vôbec nie po diaľnici."

„Áno, pán strážmajster," usmiala sa naňho babka.

„Tak veľa šťastia, aj celej tej vašej... nó... spoločnosti ochrancov fólií."

S týmito slovami strážmajster Fuscher vyrazil do noci a babka s Benom sa ocitli pred majestátnym tisícročným Towerom, ktorý stál na druhej strane rieky. Vyzeral veľkolepo, najmä teraz v noci. Jeho štyri osvetlené veže sa odrážali v chladnej tmavej Temži pod ním.

Tower bol predtým väzením s celým zoznamom bývalých väzňov (vrátane matky kráľovnej Alžbety I., dobrodruha sira Waltera Raleigha, teroristu Guya Fawkesa, nacistu Rudolfa Hessa či kapely Jedward[3]). Dnes je však v Toweri múzeum a v ňom aj drahocenné korunovačné klenoty umiestnené v osobitnej budove – v klenotnici.

Pochybný párik zlodejov stál na brehu rieky. „Si pripravený?" opýtala sa babka. Oku-

---

[3] O tej kapele som klamal, ale Jedward by som videl za trestné činy voči hudbe navždy zatvorených v Toweri veľmi rád.

liare mala úplne zaparené, pretože na zad-
nom sedadle policajného auta sedela viac ako
hodinu.

„Som," Ben sa chvel od vzrušenia. „Som pripra-
vený."

Babka natiahla ruku, chytila Benovu a potom
začala rátať: „Tri, dva, jeden!" A na jeden skočili do
temných vôd pod sebou.

Voda bola strašne studená, aj keď mali oblečené
potápačské neoprény, a Benovi sa chvíľu zdalo, že

nevidí nič iné, iba čierňavu. Bolo to hrozivé a vzrušujúce zároveň.

Keď vynorili hlavy z vody, Ben si na chvíľu vybral z úst šnorchel.

„Si v poriadku, babi?"

„Nikdy som sa necítila lepšie."

Preplávali na druhú stranu štýlom psíka. Ben nebol taký dobrý plavec, ako predtým tvrdil, a tak trochu zaostával. Tajne rozmýšľal, že si mal zobrať nafukovacie rukávy alebo aspoň nafukovačku. Po

rieke sa plavila obrovská výletná loď, na ktorej vy-
vreskovala hudba a mládež. Babka plávala a Ben
ju stratil z dohľadu.

Ach, nie!

Azda ju tá loď nepotopila?

Bola už babka na dne Temže?

„Ideš, ťarbák!" zakričala, keď výletná loď pre-
šla a oni sa znova uvideli. Ben si s úľavou vydý-
chol a ďalej plával psíka v hlbokej, mútnej, špinavej
vode.

Podľa nákresu v *Inštalatérovi* sa potrubie nachá-
dzalo hneď naľavo od *Brány zradcov.* (To bol vstup
do Toweru prístupný len od rieky, ktorým prešlo
mnoho väzňov. Buď tu strávili zvyšok života, alebo
im odťali hlavu. Dnes je *Brána zradcov* zamurova-
ná, takže sa dá do Toweru od rieky dostať len cez
potrubie.)

Ben s veľkou úľavou našiel potrubie. Bolo čiastočne ponorené do vody. Trochu tmavé a strašidelné. Ben počul rozliehajúcu sa ozvenu vĺn, ktoré doňho narážali.

Zrazu začal mať na celú akciu iný názor. Inštalatérstvo mal síce veľmi rád, ale liezť starým odpadovým potrubím sa mu zrazu odnechcelo.

„Pohni sa, Ben," babka sa vo vode vynárala a ponárala. „Nedošli sme tak ďaleko preto, aby sme to teraz vzdali."

Dobre teda, pomyslel si Ben. *Keď to dokáže slabá a stará babka, určite to dokážem aj ja.*

Zhlboka sa nadýchol a vrhol sa do potrubia. Babka šla tesne za ním.

Vnútri bola tma ako v hrobe a po niekoľkých metroch cítil, že mu niečo lezie po hlave. Ozvalo sa pišťanie a čosi ho škrabalo vo vlasoch.

Akoby to boli pazúriky.

Chytil sa za hlavu.

Cítil niečo veľké a huňaté.

Uvedomil si hroznú pravdu.

BOL TO POTKAN!

Na hlave sa mu viezol obrovský potkan.

„ÁÁÁÁÁÁÁÁÁÁÁÁÁÁÁÁÁÁÁ!"

zakričal.

25

S duchmi v pätách

Benov výkrik sa ozýval po celej dĺžke potrubia. Striasol si z hlavy potkana a ten pristál na babke, ktorá liezla cez potrubie tesne za ním.

„Chúďatko potkan," poľutovala ho. „Správaj sa k nemu nežnejšie."

„Ale..."

„Bol tu prvý, a teraz poďme, musíme sa ponáhľať. Sirup na spanie, ktorý som dala hliadke do torty, o chvíľu prestane účinkovať."

Liezli ďalej. Potrubie bolo vlhké, šmykľavé a hrozne smrdelo. (Pre babku a Bena to nebolo príjemné zistenie, ale vyzerá to tak, že aj staré výkaly smrdia.)

Po chvíli Ben v tej čierňave zbadal tenký sivý lúč. Konečne! Koniec tunela.

Vytiahol sa do starodávneho kamenného záchoda a podal ruku babke, aby sa jej liezlo ľahšie. Obaja boli od hlavy po päty pokrytí hnusným smradľavým čiernym slizom.

Ben sa postavil do studeného starého záchoda a nazrel do okienka v stene, v ktorom nebolo sklo. Preliezli cezeň a pristáli na studenej mokrej tráve nádvoria.

Pár sekúnd tam ležali a pozerali na mesiac a hviezdy. Ben chytil babku za ruku. Pevne ju stisla.

„To je úžasné," povedal.

„Ale choď," zašepkala. „Sotva sme začali."

Ben sa postavil a pomohol na nohy aj babke. Okamžite začala z kabelky odmotávať nepremokavý obal, teda priesvitnú potravinovú fóliu.

Trvalo jej to niekoľko minút.

„Myslím, že som to trošku prehnala. Ale istota je guľomet."

Nakoniec tú kilometrovú fóliu odmotala a vybrala mapu, ktorú Ben vystrihol z knihy v školskej knižnici. Tak sa týmto dvom pochybným zlodejom podarilo zistiť, kde sa nachádza klenotnica.

Bolo dosť hrôzostrašné stáť na dvore prastarej väznice v noci.

O Toweri sa hovorí, že v ňom strašia duchovia ľudí, ktorí tam umreli. Počas celých tých rokov odtiaľ zo strachu utiekli už viacerí strážcovia, ktorí tvrdili, že uprostred noci videli duchov historických postáv, čo tu zomreli.

A teraz sa po dvore potulovalo ešte čosi čudnejšie.

Babka v potápačskom obleku!

„Tadeto," zasyčala a Ben ju nasledoval po kamennom chodníčku. Srdce mu bilo tak rýchlo, že očakával jeho explóziu.

Po niekoľkých minútach stáli pred klenotnicou a pozerali sa na parčík Tower Green a pamätník tým, ktorých v Toweri sťali alebo obesili. Bena zaujímalo, či by ho s babkou popravili, keby ich pri lúpeži chytili, a až ho striaslo.

Dvaja členovia kráľovskej gardy ležali na zemi a nahlas chrápali. Ich čistučké čierno-červené uniformy sa začínali špiniť od mokrej zeme. Babkin bylinkový uspávací sirup, ktorým bola napustená čokoládová torta, zabral.

Ale na ako dlho?

Keď prechádzali popri nich, babka vydala známy kvákavý zvuk. Nos jedného strážnika sa zmraštil od zápachu.

Ben zatajil dych – od zápachu, ale aj od strachu.

Zobudí babka svojím prdom hliadku a vyjde celá ich snaha nazmar?

Prešla nekonečne dlhá chvíľa...

Strážnik otvoril oko.

To nie!

Babka stiahla Bena dozadu a zodvihla kabelku, akoby ňou chcela strážnika ovaliť.

A je to tu, pomyslel si Ben. *Obesia nás.*

Strážnik však zatvoril oko a chrápal ďalej.

„Babka, ovládaj sa, prosím, trochu,“ zasyčal Ben.

„To som nebola ja,“ nevinným hlasom sa ozvala babka. „To si musel byť ty.“

Po špičkách kráčali k obrovským oceľovým dverám v prednej časti klenotnice.

„Tak, a teraz potrebujem elektrickú vŕtačku tvojho ocka,“ povedala babka a hrabala sa v kabelke. Začala vŕtať jednu zámku za druhou a všade sa ozývalo vŕčanie. Kovové zámky jedna za druhou padali na zem.

Zrazu jeden zo strážnikov zachrápal strašne nahlas.

CHŔŔŔŔŔŔŔŔŔŔŔŔŔŔŔŔŔ ŔŔŔŔŔŔŔŔŔŔŔŔŔŔŔŔŔŔŔ ŔŔŔŔŔŔŔŔŔŔŔŔŔŔŔŔŔŔŔ!

Ben znehybnel a babke takmer spadla vŕtačka. Stráž však spala ďalej a dvere sa po niekoľkých strašne napínavých minútach nakoniec otvorili.

Babka vyzerala unavene. Z čela jej kvapkal pot. Na chvíľu si sadla na múrik a vytiahla termosku.

„Dáš si kapustovú polievku?" ponúkla ho.

„Nie, ďakujem, babi," odmietol Ben. Znervóznel a zmenil tému: „Radšej by sme mali ísť, kým sa nezobudí hliadka."

„Len sa ponáhľať a ponáhľať, typická dnešná mládež. Trpezlivosť ruže prináša." Vypila posledný dúšok kapustovej polievky a postavila sa.

„Vynikajúca! Dobre, tak teda poďme na to!" povedala.

Obrovské oceľové dvere pri otváraní zaškrípali a Ben s babkou vošli do klenotnice.

Z tmy sa vyrútil kúdol čierneho peria a vletel Benovi a babke do tváre. Ben sa tak zľakol, že znova skríkol.

„Pssst!" napomenula ho babka.

„Čo to bolo?" opýtal sa Ben, keď videl, ako okrídlené tvory zmizli na čiernej oblohe. „Netopiere?"

„Nie, zlatko, havrany. Sú ich tu desiatky. Havrany žijú v Toweri už stáročia."

„Toto miesto je strašidelné," Benovi od strachu stiahlo žalúdok.

„Najmä v noci," prikyvovala babka. „A teraz sa drž v mojej blízkosti, chlapče, bude to totiž ešte horšie..."

26

Tmavá postava

Otvorila sa pred nimi dlhá točitá chodba. V nej ča-
kávajú stovky turistov z celého sveta, ktorí chcú vi-
dieť korunovačné klenoty. Babka s vnukom po nej
prešli po špičkách. Kvapkala z nich studená a zapá-
chajúca voda z Temže.

Nakoniec zahli za roh do hlavnej miestnosti,
kde boli uložené klenoty. Ožiarili babkinu a Beno-
vu tvár ako slnko, ktoré sa v zamračený deň predie-
ra pomedzi oblaky.

Dvojica zlodejov s rešpektom zastala. Dívali sa
na poklady s otvorenými ústami. Boli skvostnejšie,

ako si človek dokáže predstaviť. Skutočne najdoko-
nalejšia zbierka cenností na svete.

Milí čitatelia, tie poklady sú nielen nádherné
a drahocenné, ale sú aj symbolmi stáročí histórie.
Patrí k nim niekoľko kráľovských korún:

- Koruna svätého Eduarda, s ktorou canterburský
  arcibiskup korunuje nového kráľa alebo kráľov-
  nú. Je zo zlata a zdobená je zafírmi a topásmi.
  Hotový skvost!

- Koruna britského impéria, v ktorej je vsadených
  neuveriteľných tritisíc drahokamov vrátane
  Menšej hviezdy Afriky (druhého najväčšieho
  drahokamu vybrúseného z najväčšieho diaman-
  tu na svete. Nie, neviem, kde sa nachádza Veľká
  hviezda Afriky.)

- Prenádherná Cisárska koruna Indie, v ktorej
  je vsadených šesťtisíc diamantov, nádherných

rubínov a smaragdov. Bohužiaľ, nesedí mi na hlave.

- Lyžička z dvanásteho storočia na pomazanie kráľov svätoným olejom. Nepoužíva sa na jedenie müsli.

- Nesmieme zabudnúť ani na ampulku, zlatú fľaštičku v tvare orla, v ktorej je ten svätený olej. Je to dosť fajnová fľaštička.

- A na záver slávne žezlo a jablko.

  Celkom slušný majetok.

Keby boli korunovačné klenoty na reklamnom letáku nejakého supermarketu, vyzerali by asi takto:

Babka vytiahla na korunovačné klenoty pokrčenú igelitovú tašku, ktorú nosila v kabelke.

„Dobre, teraz sa už potrebujeme len dostať cez sklo, Ben," zašepkala.

Ben sa na ňu neveriacky pozrel. „Nie som si istý, či sa nám sem zmestia všetky tie klenoty."

„Je mi to ľúto, zlatko," šepkala, „ale v dnešnej dobe igelitové tašky v supermarketoch stoja aj päť penny, tak som kúpila iba jednu."

Sklo bolo hrubé niekoľko centimetrov.

Nepriestrelné.

Ben z učebne chémie potiahol zopár chemikálií, ktoré po zapálení urobia obrovské

BBBBBBBBBBBBBUUUUUUU UUUUUUUUUUUUUUUUU UUUUMMMMMM!!!!!!!!!!!!!!!!

Chemikálie prilepili na sklo plastelínou. Babka pripevnila k plastelíne jeden koniec klbka ružo-

vej vlny. (Vlna je skvelá rozbuška.) Potom odnie-
kiaľ vypriadla zápalky. Chceli sa ešte uistiť, že sú
dosť ďaleko od miesta výbuchu, aby nevyhodilo do
vzduchu aj ich.

„Ben," zašepkala babka. „Poďme od toho
skla čo najďalej. Zapáliš rozbušku ty?" opýta-
la sa.

Ben prikývol. Veľmi chcel, ale ruky sa mu triasli
od vzrušenia tak, že nevedel, či to dokáže.

Otvoril zápalkovú škatuľku. Bolo v nej len nie-
koľko zápaliek.

Pokúsil sa zapáliť prvú, ale keď škrtol, zápalka
sa zlomila napoly.

„Zlatko," zašepkala babka, „skús ešte raz."

Ben vytiahol ďalšiu zápalku.

Škrtol, no nič sa nestalo. Z rukáva neoprénu
musela vytiecť voda. Teraz bola mokrá škatuľka aj
zápalka.

„Nieeee!!!" zakričal zúfalo Ben. „Mama s ockom mali pravdu. Som neschopný. Neviem ani len zapáliť zápalku."

Babka objala vnuka.

Keď sa objímali, trochu im vŕzgali obleky.

„Nehovor tak, Ben. Si skvelý chlapec. Skutočne. Odkedy spolu trávime toľko času, som stokrát šťastnejšia, ako som kedy bola."

„Naozaj?" opýtal sa Ben.

„Naozaj!" odpovedala babka. „A si veľmi bystrý. Naplánoval si celú túto neobyčajnú lúpež celkom sám a to máš len jedenásť rokov."

„Mám skoro dvanásť," ozval sa Ben.

Babka sa zachichotala. „Ale chápeš, čo som tým myslela. Koľko detí v tvojom veku by dokázalo vypracovať takýto odvážny plán?"

„Ale teraz sa nám nepodarí ukradnúť korunovačné klenoty, takže to celé bola len obrovská strata času."

„Ešte sme neskončili," povedala babka a vytiahla z kabelky konzervu kapustovej polievky. „Vždy máme naporúdzi starú dobrú hrubú silu."

Podala vnukovi plechovku. Ben ju s úsmevom vzal a vydal sa smerom k vitríne.

„Tááák!" švihol rukou dozadu, aby hodil plechovku.

„Nie, prosím," ozval sa hlas z tieňa.

Babka a Ben od strachu znehybneli.

Je to duch?

„Kto je to?" zakričal Ben.

Postava vyšla na svetlo.

Bola to kráľovná.

27

Audiencia u kráľovnej

„Čo tu, preboha, robíte?" opýtal sa Ben. „Teda...
chcel som povedať, čo tu, preboha, robíte, Veličen-
stvo."

„Rada sem chodievam, keď nemôžem spať," od-
vetila kráľovná. Hovorila dôverne známym vzne-
šeným hlasom. Babka a Ben boli prekvapení, že
ju videli v nočnej košeli a s drobnými papučami
v tvare psa. Na hlave mala korunovačnú korunu.
Najkrajšiu zo všetkých korunovačných klenotov.
Keď kráľovnú v roku 1953 korunovali, dal jej ju na
hlavu canterburský arcibiskup. Táto koruna z roku

1661 je zo zlata, vykladaná diamantmi, rubínmi, perlami, smaragdami a zafírmi.

Pohľad na ňu bol strhujúci. Dokonca aj pre samotnú kráľovnú.

„Chodím sem rozmýšľať," pokračovala kráľovná. „Poprosila som svojho šoféra, aby ma priviezol z Buckinghamského paláca na Bentley. O pár týždňov mám predniesť občanom vianočný prejav a musím starostlivo popremýšľať, čo im poviem. Človeku sa vždy lepšie rozmýšľa s korunou na hlave. Ale mňa by skôr zaujímalo, čo tu, preboha, robíte vy?"

Ben a babka sa na seba zahanbene pozreli.

Vždy je dosť nepríjemné, keď vás pokarhajú, ale keď človeka karhá kráľovná, na rebríčku pokarhaní je táto udalosť úplne na vrchole, ako je to vidieť aj na tomto jednoduchom grafe:

REBRÍČEK POKARHANIA

RODIČ · UČITEĽ · RIADITEĽ · LETUŠKA · KNIHOVNÍČKA · POŠTÁR · VEDÚCI SKAUTINGU · DOPRAVNÝ POLICAJT · STRÁŽNIK V PARKU · FARÁR · POLICAJT · SUDCA · KRÁĽOVNÁ

„A prečo obaja smrdíte výkalmi? Ha?" dožadovalo sa odpovede Jej Veličenstvo kráľovná. „Čakám!"

„Na vine som ja, Vaše Veličenstvo," sklonila babka hlavu.

„Nie, nie je," povedal Ben. „To ja som navrhol, aby sme ukradli korunovačné klenoty. To ja som ju nahovoril."

„To je pravda," súhlasila babka. „Ale mala som na mysli niečo iné. Celé som to začala ja, keď som predstierala, že som medzinárodná zlodejka šperkov."

„*Čo?*" vykríkol Ben.

„Ako, prosím?" opýtala sa kráľovná. „Som dosť zmätená."

„Môj vnuk u mňa strašne nerád trávil piatkové večery," vysvetľovala babka. „Raz večer som počula, ako telefonuje rodičom a sťažuje sa, aká je so mnou nuda..."

„Ale, babi, ja si to už nemyslím," protestoval Ben.

„To je v poriadku, Ben. Viem, že odvtedy sa veľa zmenilo. A to, že so mnou bola nuda, je pravda. Bavilo ma len jesť kapustu a hrať scrabble, ale kdesi vo vnútri som tušila, že to neznášaš. A tak som si vymyslela príbehy podľa kníh, ktoré som čítala, aby som ťa zabavila. Porozprávala som ti, že som bola obávanou zlodejkou šperkov zvanou Čierna mačka…"

„A čo tie diamanty, ktoré si mi ukázala?" Bena ten podvod nielen šokoval, ale aj nahneval.

„Nemajú žiadnu hodnotu, zlatko," odpovedala mu babka. „Sú zo skla. Našla som ich v bazári v škatuli od zmrzliny."

Ben na ňu zízal ako na zjavenie. Nemohol tomu uveriť. Všetko, celé to fantastické dobrodružstvo, bolo len výmysel.

„Ja neverím, že si mi klamala!" vykríkol.

„Ja... ja len..." habkala babka.

Ben na ňu zagánil: „Už nie si moja babka," povedal.

V klenotnici zavládlo hrobové ticho.

Potom sa ozval hlasný nóbl kašeľ. „Ehm," ozvalo sa vznešene.

28

Obesiť, utopiť a rozštvrtiť

„Veľmi nerada vás prerušujem," povedala kráľovná vznešene, „ale mohli by sme sa vrátiť k podstate veci? Stále nechápem, prečo ste vy dvaja v Toweri uprostred noci, prečo smrdíte výkalmi a pokúšate sa ukradnúť moje vzácne klenoty."

„Nuž, keď som už raz začala, na to klamstvo sa nabaľovalo ďalšie a ďalšie, Vaše Veličenstvo," pokračovala babka a pohľadom uhýbala Benovi. „Nemyslela som si, že k tomu dôjde. Asi som sa dala uniesť. Bolo to také príjemné tráviť viac času s vnukom. Pripomínalo mi to časy, keď som mu pred spaním čítavala rozprávky. Vtedy som sa mu ešte nezdala nudná."

Ben sa nervózne zavrtel. Aj on sa začal cítiť previnilo. Babka mu klamala, a to bolo hrozné, ale robila to, lebo ju trápilo, že sa s ňou nudí.

„Aj mňa to bavilo," zašepkal.

Babka sa naňho usmiala. „To som rada Beny. Je mi to veľmi ľúto. Ja skutočne..."

„Ehm, ehm..." prerušila ich kráľovná.

„Samozrejme," povedala babka. „Takže klamstvá sa nabaľovali, a skôr než som si to uvedomila, sme začali plánovať najodvážnejšiu lúpež všetkých čias. Mimochodom, vyliezli sme kanalizačným potrubím. Obyčajne takto nesmrdíme, Vaše Veličenstvo."

„No, to dúfam."

„FFFFFFFFFFFFFFFFFUUUUU UUUUUUUUUUUUUUUUUUU UUUJJJJJJJJJJJJJJJ!!!!!!!!!"

Teraz sa Ben cítil *fakt* previnilo. Aj keď babka nebola medzinárodná zlodejka šperkov, určite nebola nudná. Pomohla mu naplánovať lúpež a teraz boli uprostred noci v Toweri a rozprávali sa s kráľovnou.

Musím jej nejako pomôcť, uvedomil si.

„Tá lúpež, to bol môj nápad, Vaše Veličenstvo," povedal. „Mrzí ma to."

„Pustite môjho vnuka na slobodu, prosím vás," skočila mu do reči babka. „Nechcem, aby si zničil život. Veľmi vás prosím. Hneď zajtra v noci by sme korunovačné klenoty vrátili, prisahám."

„Veľmi dôveryhodný príbeh," zamrmlala kráľovná.

„Je to pravda!" vykríkol Ben.

„So mnou naložte, ako uznáte za vhodné, Vaše Veličenstvo," pokračovala babka. „Ak chcete, zamknite ma navždy sem, do Toweru, ale prosím vás, chlapca pustite."

Zdalo sa, že kráľovná sa zahĺbila do myšlienok.

„Skutočne neviem, čo mám urobiť," povedala nakoniec. „Váš príbeh na mňa zapôsobil. Ako viete, aj ja mám vnúčatá a tiež si o mne občas myslia, že som nudná."

„Naozaj?" opýtal sa Ben. „Veď ste kráľovná!"

„To som," zachichotala sa kráľovná.

Ben bol prekvapený. Kráľovnú nikdy predtým nevidel usmievať sa. Vždy bola taká vážna. Keď mala v telke vianočný prejav alebo otvárala zasadnutie parlamentu, alebo dokonca i keď sledovala komikov v kráľovskom predstavení, nikdy sa neusmievala.

„Ale pre nich som iba ich nudná stará babka,"
pokračovala. „Zabúdajú, že aj ja som bola mladá."

„A že ony raz budú staré," dodala babka a veľa-
významne sa pozrela na Bena.

„Presne tak, moja drahá!" súhlasila kráľovná.
„Podľa mňa by si mladá generácia mala nájsť na
starých viac času."

„Prepáčte, Vaše Veličenstvo," ozval sa Ben. „Ke-
by som nebol taký sebecký a nebol by som hundral,
že starí ľudia sú nudní, nič by sa nebolo stalo."

Nastalo nepríjemné ticho.

Babka sa hrabala v kabelke a ponúkla kráľovnej
balíček cukríkov. „Nedáte si mentolku, Vaše Veli-
čenstvo?"

„Áno, ďakujem," odvetila kráľovná. Odbalila si
mentolku a vložila si ju do úst. „Došľaka, tieto som
nemala už roky."

„Mám ich najradšej," povedala babka.

„Veľmi dlho vydržia," nadchýnala sa kráľovná a veselo cmúľala mentolku. Potom sa znova začala ovládať.

„Viete, ako dopadol posledný človek, ktorý sa pokúsil ukradnúť korunovačné klenoty?" vyzvedala.

„Obesili ho, utopili a napokon rozštvrtili?" opýtal sa Ben nadšene.

„Verte, či neverte, dostal milosť,“ usmiala sa potmehúdsky kráľovná.

„Milosť, Vaše Veličenstvo?“ opýtala sa babka.

„V roku 1671 sa ich pokúsil ukradnúť írsky plukovník Blood, ale pri úteku ho prichytili stráže. Tú korunu, čo mám teraz na hlave, si ukryl pod kabát, a len čo vyšiel von, padla mu na zem. Vtedajšieho kráľa Karola II. tento odvážny pokus tak pobavil, že sa rozhodol udeliť mu milosť.“

„To si musím vygúgliť,“ povedal Ben.

„Čo je to *vygúgliť*,“ ozvala sa babka.

„Ani ja to neviem,“ zachichotala sa kráľovná. „Takže v súlade s kráľovskou tradíciou urobím to isté. Oboch vás oslobodím.“

„Ach, ďakujeme, Vaše Veličenstvo,“ babka sa sklonila a pobozkala kráľovnej ruku.

Ben si kľakol. „Ďakujem, ďakujem, veľmi pekne vám ďakujem, Vaše Veličenstvo...“

„No, no, nepodlizujte sa mi," odsekla kráľovná povýšenecky. „Podlizovanie nestrpím. Počas svojej vlády som stretla príliš veľa pätolizačov."

„Prepáčte, Vaše majestátne kráľovské Veličenstvo," ospravedlňovala sa babka.

„Presne to mám na mysli. Teraz sa podlizujete!" kráľovná na to.

Ben a babka sa na seba vystrašene pozreli. Bolo ťažké rozprávať sa s kráľovnou a aspoň trochu sa jej nepodlizovať.

„A teraz rýchlo choďte," prikázala im kráľovná, „kým sa všade neobjavia stráže! A nezabudnite na Vianoce pozerať v telke môj prejav."

29

Ozbrojené jednotky

Keď sa dovliekli späť do babkinho domu, už svitalo. Tentoraz ich už policajti neodviezli. Na vozíčku im to domov trvalo dlho. Prešli cez retardéry, bum, bum, bum, až dovrčali k príjazdovej ceste do domu.

„To bola ale noc!" vzdychol si Ben.

„To teda bola. Ach, panebože, z toho sedenia na vozíku mi celkom zmeraveli údy," posťažovala sa babka, keď svoje staré a unavené telo odlepila z vozíka. „Mrzí ma to, Ben," povedala po chvíli. „Naozaj som ti nechcela ublížiť. Ale ja som s tebou tak rada, že sa mi toho nechcelo vzdať."

„To je v poriadku," usmial sa Ben. „Chápem, prečo si to urobila. A netráp sa. Vždy budeš moja babka gaunerka."

„Ďakujem," poďakovala sa láskavo babka. „V každom prípade si myslím, že napätia máme dosť na celý život. Mal by si ísť teraz domov. Buď taký dobrý a venuj sa radšej inštalatérstvu..."

„Budem, sľubujem. Už žiadne lúpeže," zachechtal sa Ben.

Babka sa zrazu zarazila.

Pozrela sa hore.

Ben začul nad ich hlavami vrtuľník.

„Babi?"

„Psst!" babka si nastavila strojček v uchu a načúvala. „To je viac vrtuľníkov, znie to ako celá letka."

ÚÚÚÚÚ-ÚÚÚÚÚ-ÚÚÚÚÚ-ÚÚÚÚÚ

Zo všetkých strán sa ozývali policajné húkačky

a onedlho ich obkľúčili po uši ozbrojení policajti. Babka s Benom vôbec nevideli susedné domy, pretože okolo nich stála stena z policajtov v nepriestrelných vestách. Hukot policajných vrtuľníkov bol taký ohlušujúci, že si babka musela vypnúť strojček.

Z jednej helikoptéry sa ozval megafón. „Ste ob-
kľúčení. Zložte zbrane! Opakujem, zložte zbrane!
V opačnom prípade budeme strieľať.“

„My zbrane nemáme!" zakričal Ben. Ešte sa mu nezmenil hlas a znel trochu dievčensky.

„Nehádaj sa s nimi, Ben, len daj ruky nad hlavu!" kričala babka v tom hluku.

Dvojica gaunerov dala ruky nad hlavu. Niekoľko odvážnych policajtov vykročilo smerom k nim a namierilo na nich zbrane. Zrazili ich k zemi.

„Nehýbte sa!" zaznelo z vrtuľníka. *Ako sa asi môžem hýbať, keď mi na chrbte kľačí obrovský policajt,* pomyslel si Ben.

Ruky v kožených rukaviciach im šmátrali po tele a prehrabávali sa v babkinej kabelke – zrejme hľadali zbrane. Keby hľadali použité vreckovky, to by sa im podarilo, zbrane však nemala.

Potom Benovi a babke nasadili putá a postavili ich na nohy. Spoza steny policajtov vyšiel starší chlapík s veľkým nosom v smiešnom klobúku.

Bol to pán Parker. Babkin zvedavý sused.

30

Kilo cukru

„Mysleli ste si, že sa vám podarí zdrhnúť aj s korunovačnými klenotmi, čo?" zapišťal pán Parker. „Viem všetko o vašom podlom pláne. Ale už je koniec. Chlapci, berte ich! Zatvorte ich a kľúče od cely odhoďte!"

Policajti poháňali zatknutých k dvom služobným autám.

„Počkajte chvíľu!" zakričal Ben. „Ak sme ukradli korunovačné klenoty, kde potom sú?"

„Áno, jasné! Dôkaz. To je všetko, čo potrebujeme, aby sme vás dostali na doživotie za mreže, vy

gauneri. Prehľadajte košík na vozíku. Ihneď!" roz-
čuľoval sa pán Parker.

Jeden z policajtov prehľadal košík. Našiel veľký
balík zabalený do mokrej potravinovej fólie.

„Tak, to sú určite klenoty," skonštatoval s isto-
tou pán Parker. „Dajte ich sem!"

Pán Parker uštedril babke a Benovi arogantný
pohľad. Začal rozbaľovať balík.

Kým sa z veľkého balíka stal malý, prešlo pár
minút. Pán Parker sa konečne dostal na koniec po-
travinovej fólie.

„Tak, a sme v cieli!" oznámil a na zem spadla
plechovka kapustovej polievky.

„Pán Parker, mohla by som si to, prosím vás,
vziať?" opýtala sa babka. „Je to môj obed."

„Prehľadajte jej dom!" zavrčal pán Parker.

Policajti sa snažili vyvaliť vchodové dvere. Bab-
ka sa na nich pobavene pozerala a potom ledabolo

poznamenala: „Mám kľúč, nechceli by ste použiť radšej ten?"

Jeden z policajtov si okúňavo vzal kľúč.

„Ďakujem, madam," poďakoval zdvorilo.

Ben s babkou sa na seba usmiali.

Potom policajt otvoril dvere a dovnútra sa nahrnuli stovky ďalších. Horúčkovito prehľadávali dom, ale po krátkom čase vyšli von s prázdnymi rukami.

„Obávam sa, pane, že tam nie sú žiadne korunovačné klenoty," povedal jeden z nich. „Má tam len scrabble a hromadu plechoviek kapustovej polievky."

Pán Parker očervenel od zlosti. Zvolal polovicu policajtov celej krajiny a všetko nadarmo.

„Pán Parker," povedal mu jeden policajt. „Budete mať veľké šťastie, ak vás nezavrieme za mrhanie naším časom..."

„Počkať!" namietal pán Parker. „To, že klenoty nemajú pri sebe ani v dome, ešte neznamená, že ich neukradli. Viem, čo som počul. Prehľadajte... záhradu! Presne! Prekopte ju!"

Policajt sa ho snažil upokojiť. „Pán Parker, nemôžeme jednoducho..."

Pánovi Parkerovi zrazu triumfálne zažiarili oči. „Počkajte. Neopýtali ste sa ich, kde boli dnes v noci. Viem, že išli kradnúť korunovačné klenoty. A stavím sa, že na dnes nemajú alibi."

Policajt sa zachmúrene otočil na babku a Bena. „To vlastne nie je zlý nápad," povedal. „Budete takí láskaví a poviete mi, kde ste boli dnes v noci?"

Pán Parker celý žiaril.

Práve v tej chvíli sa k nim dovalil ďalší policajt. Bol im akýsi povedomý, a keď Ben zbadal jeho fúzy, hneď mu svitlo, o koho ide.

„Šéfe, práve mi prepojili hovor pre vás," ozval sa strážmajster Fuscher s vysielačkou v ruke.

Vtom sa zarazil a zízal na babku s Benom. „Ale!" povedal. „Vari to len nie sú tí ľudia z fóliovej asociácie?"

„Pán policajt Huscher," povedal Ben.

„Fuscher!" opravil ho Fuscher.

„Prepáčte, áno, Fuscher. Rád vás znova vidím."

Fuscherov nadriadený vyzeral dosť zmätene. „Pardon?"

„To je ten chalan s babkou. Sú z Asociácie na propagáciu potravinových fólií. Dnes mali v Londýne výročnú schôdzu. Vlastne som ich tam hodil."

„Takže nekradli korunovačné klenoty?" opýtal sa šéf.

„Nie," zasmial sa Fuscher. „Spájali sa s Asociáciou na propagáciu bublinkových fólií. Že kradli korunovačné klenoty?! No teda!" zasmial sa na Bena a babku. „To sú mi nápady!"

Pán Parker bol červený od zlosti. „Ale... ale... Oni to urobili! Sú to zločinci, vravím vám."

Kým ďalej táral, šéf si vzal od Fuschera vysielačku. „Áno. Uhm. Dobre. Vďaka," povedal. Otočil sa na Bena a babku. „To bola špeciálna jednotka. Požiadal som ich, aby skontrolovali, či sú korunovačné klenoty na mieste. Zdá sa, že áno. Prepáčte, madam. Aj ty, chlapče. Hneď vám zložíme putá."

Pán Parker bol úplne hotový. „Nie, to nemô-
že byť...“

„Ak ešte raz čo i len pípnete, pán Parker,“ za-
syčal policajt, „zatvorím vás na noc do väzenia!“
Svižne sa otočil na podpätku a vykročil k jedné-
mu z policajných áut. Za ním kráčal Fuscher, ktorý
babke a Benovi zakýval na rozlúčku.

Ben s babkou, stále s rukami v putách, pristúpili
k pánovi Parkerovi.

„To, čo ste počuli, boli len výmysly,“ prihovoril
sa mu Ben. „To mi len babka vymýšľala rozprávky,
pán Parker. Asi ste sa dali uniesť.“

„Ale, ale, ale...“ hromžil pán Parker.

„Ja a medzinárodná zlodejka šperkov?“ smiala
sa babka.

Rozosmiali sa aj všetci policajti.

„Musíte byť strelený, ak ste takému niečomu uve-
rili,“ povedala. „Prepáč, Ben,“ zašepkala vnukovi.

„To je v poriadku," pošepkal jej Ben.

Policajti im zložili putá, náhlivo nasadli do svojich áut a odfrčali z Grey Close.

„Prepáčte, že sme vás vyrušili, madam," ospravedlnil sa jeden z odchádzajúcich policajtov. „Prajem vám príjemný deň."

Vrtuľníky mierili k blednúcej oblohe. Keď sa vrtule roztočili rýchlejšie pánovi Parkerovi odletel z hlavy ten úžasný klobúk a padol do jazierka.

Babka pristúpila k nemu.

„Keby ste si chceli požičať kilo cukru..." prihovorila sa mu milo.

„Áno?" pán Parker na to.

„... neklopte na moje dvere, lebo vám ho vrazím do zadku," dodala babka so sladkým úsmevom.

31

Zlatistý svit

Vyšlo slnko a Grey Close zalial zlatistý svit. Padla rosa a prízemný opar urobil z radu nízkych domčekov magické miesto.

„Tak," povzdychla si zhlboka babka. „Teraz by si mal ísť radšej domov, Ben, kým sa nezobudia vaši."

„Tí na mňa kašlú," povedal Ben.

„Ale nie, majú ťa radi," babka neisto objala vnuka okolo pliec. „Len to nevedia dať najavo."

„Možno."

Benovi sa zívlo a bolo to to najväčšie zívnutie v jeho živote. „Och, som taký unavený! Dnešná noc bola úžasná."

„Bola to najvzrušujúcejšia noc v mojom živote, Ben. Nedala by som si ju ujsť ani za nič," mihol sa babke na tvári úsmev. Zhlboka sa nadýchla.

„Byť naživo je skvelé."

Oči jej zaliali slzy.

„Je ti niečo, babi?" opýtal sa Ben. Babka si pred ním ukrývala tvár. „Je mi dobre, chlapček, naozaj." V hlase jej bolo cítiť dojatie.

Ben zrazu vedel, že sa deje niečo vážne.

„Babi, prosím ťa, mne to môžeš povedať."

Držal ju za ruku. Pokožku mala jemnú, ale vráskavú. Krehkú.

„Nuž..." váhavo začala babka. „Ešte o jednom som ti klamala, zlatko."

Benovi stislo srdce.

„O čom?" opýtal sa a chlácholivo jej stisol ruku.

„Vieš, keď mi lekár minulý týždeň doniesol výsledky, povedala som ti, že som v poriadku. Klamala som." Babka na chvíľu stíchla. No pravda je taká, že mám rakovinu."

„Nie, to nie..." Ben mal v očiach slzy. O rakovine už počul dosť na to, aby vedel, že je smrteľne nebezpečná.

„Lekár mi tesne predtým, ako si ho stretol, povedal, že zákerná choroba je vo veľmi pokročilom štádiu."

„Koľko času ti zostáva?" vyhŕkol Ben. „Povedal ti to?"

„Povedal, že sa nedožijem Vianoc."

Ben objal babku najsilnejšie, ako sa dalo, a prial si, aby sa životná sila z jeho tela preliala do nej.

Po lícach mu stekali slzy. Bolo to také nespra-
vodlivé – za posledných niekoľko týždňov babku
konečne hlbšie spoznal a teraz ju má stratiť.

„Nechcem, aby si zomrela."

Babka sa na chvíľu zadívala na Bena.

„Nikto nežije večne, chlapče. Len dúfam, že na
svoju starú nudnú babku nikdy nezabudneš."

„Vôbec nie si nudná. Si skutočná kráľovná zlo-
dejov. Veď si spomeň, takmer sme ukradli koruno-
vačné klenoty."

Babka sa uškrnula.

„Áno, ale o tom nikomu ani slovko. Ešte vždy
by ti to mohlo spôsobiť kopu problémov. Bude to
naše malé tajomstvo."

„Naše a kráľovnej," doplnil Ben.

„Áno. Aká to bola milá stará dáma."

„Nikdy na teba nezabudnem, babi," povedal
Ben. „Navždy zostaneš v mojom srdci."

„To je tá najkrajšia vec, akú mi kedy kto povedal," potešila sa babka.

„Mám ťa tak rád, babi."

„Aj ja ťa mám rada, Ben. Ale radšej už bež domov."

„Nechcem ťa tu nechať."

„To je od teba veľmi milé, ale ak sa vaši zobudia a zistia, že si preč, budú sa o teba veľmi báť."

„Nebudú."

„Ale budú. Ben, buď dobrý."

Ben sa neochotne postavil. Pomohol na nohy aj babke.

Potom ju pevne objal a pobozkal ju na líce. Už mu nevadili ani chlpy na brade. Vlastne ich mal rád.

Mal rád aj piskot strojčeka do uší. Aj jej kapustový pach. A mal rád dokonca aj jej prdy, o ktorých ani nevedela.

Mal na nej rád všetko.

„Dovidenia," povedal nežne.

„Dovidenia, Ben."

32

Rodinný sendvič

Keď Ben konečne dorazil domov, zistil, že ich hnedé autíčko pred domom nie je. Ešte vždy bolo veľmi skoro ráno.

Kam mohli rodičia ísť o tejto hodine?

Napriek tomu sa vyšplhal po odkvape a preliezol cez okno späť do izby.

Šplhanie bolo náročné. Po prebdenej noci bol unavený a v neoprénovom obleku vážil viac ako zvyčajne. Posunul *Inštalatérov*, aby mohol pod posteľ ukryť neoprén. Potom sa čo najtichšie obliekol do pyžama a vliezol do postele.

Práve zatváral oči, keď počul, ako na príjazdovú cestu vošlo auto. Otvorili sa predné dvere a začul, ako mama a otec nahlas vzlykajú.

„Hľadali sme ho všade," smrkal oco. „Neviem, čo urobíme."

„Je to moja chyba," dodala mama cez slzy. „Nikdy sme ho nemali prihlásiť do tej súťaže. Určite utiekol z domu."

„Zavolám na políciu."

„Áno, áno, zavoláme, mali sme to urobiť už pred niekoľkými hodinami."

„Musíme zmobilizovať celú krajinu... Haló, haló, polícia? Prosím vás... Môj syn. Nemôžem nájsť svojho syna..."

Ben sa cítil hrozne. Rodičia sa oň nakoniec predsa báli.

A veľmi.

Vyskočil z postele, rozrazil dvere a bežal im

dolu schodmi rovno do náručia. Otcovi vypadlo slúchadlo.

„Môj chlapec! Môj chlapec!" vykríkol.

Objal Bena tak silno ako ešte nikdy predtým. Aj mama ho mocne objala, a vytvorili tak veľký rodinný sendvič, v ktorom bol Ben v strede ako náplň.

„Ach, Ben, vďakabohu, vrátil si sa," vzlykala mama. „Kde si bol?"

„S babkou," odvetil Ben, ale nepovedal celú pravdu. „Je... no, je veľmi chorá," poznamenal smutne. Rodičov to zjavne vôbec neprekvapilo.

„Áno," povedal oco s bolesťou v hlase. „Obávam sa, že..."

„Viem," zareagoval Ben. „Nemôžem uveriť tomu, že ste mi to nepovedali. Je to moja babka."

„Áno," pritakal otec. „Je to aj moja mama. Pre-

páč, že sme ti to nepovedali. Nechceli sme ťa roz-
rušiť...“

Ben zrazu uvidel v otcových očiach bolesť. „To
nič, oci.“

„S mamou sme boli hore celú noc a hľadali sme
ťa,“ dodal otec a stisol syna ešte silnejšie. „Nikdy by

nám nenapadlo hľadať ťa u babky. Vždy si tvrdil, že je nudná."

„Nie, nie je. Je to najlepšia babka na svete."

Oco sa usmial. „To je veľmi milé, synček. Ale aj tak si nám mal povedať, kam ideš."

„Mrzí ma to. Keď som vás tak sklamal na tanečnej súťaži, myslel som si, že som vám ukradnutý."

„Ukradnutý?" otca to očividne šokovalo. „Veď my ťa máme radi!"

„Máme ťa veľmi radi, Ben!" dodala mama.

„Nikdy si nesmieš myslieť nič iné. Koho zaujíma hlúpa tanečná súťaž s Flaviom Flaviolim z televízie? Nech urobíš čokoľvek, vždy budem na teba veľmi pyšná."

„Obaja budeme," potvrdil otec.

Obaja sa smiali a plakali naraz a bolo ťažké zistiť, či im tečú slzy šťastia, alebo smútku. Vlastne to bolo jedno, asi to bola taká zmes oboch.

„Nezájdeme k babke na čaj?" opýtala sa mama.

„Áno," súhlasil Ben. „To by bolo milé."

„A s ockom sme sa rozprávali," mama vzala Benove ruky do svojich. „Našla som *Inštalatérov*."

„Ale..." povedal Ben.

„To je v poriadku," pokračovala mama. „Nemusíš sa cítiť trápne. Keď je to tvoj sen, splň si ho."

„Naozaj?" opýtal sa Ben.

„Áno," pridal sa k nej oco. „Chceme, aby si bol šťastný."

„Len..." pokračovala mama, „s ockom si myslíme, že keby ti nevyšla kariéra inštalatéra, mal by si mať nejaké zadné dvierka..."

„Zadné dvierka?" opýtal sa Ben. Väčšinou rodičov nechápal, a teraz už vonkoncom nie.

„Áno," povedal oco. „A vieme, že spoločenské tance nie sú tvoja parketa..."

„To teda nie," odvetil s úľavou Ben.

„A čo tak krasokorčuľovanie?" opýtala sa mama.

Ben na ňu zízal.

Mama sa mu dlho dívala do očí a potom to nevydržala a vyprskla do smiechu. Smial sa aj oco, a aj keď mal Ben stále v očiach slzy, tiež sa rozosmial.

33

Ticho

Po tejto udalosti sa vzťah Bena a jeho rodičov veľmi zlepšil. Oco s ním dokonca šiel do železiarstva, kúpil mu inštalatérske nástroje a strávili spolu mimoriadne zábavné popoludnie pri rozoberaní kolena na potrubí.

Asi týždeň pred Vianocami im neskoro v noci zazvonil telefón.

O pár hodín Ben, otec a mama stáli okolo babkinej postele. Bola v hospici, v dome, kam ľudia chodia, keď im už v nemocnici nevedia pomôcť. Už jej nezostávalo veľa času. Možno niekoľko hodín.

Zdravotné sestry povedali, že môže kedykoľvek zomrieť.

Ben nervózne sedel na babkinej posteli. Mala zatvorené oči a zdalo sa, že nevládze hovoriť. Ale to, že s ňou sedel v jednej izbe, bol preňho neuveriteľne silný zážitok.

Otec chodil hore-dole po izbe a nevedel, čo má urobiť alebo povedať.

Mama sa len bezradne prizerala.

Ben držal babku za ruku.

Nechcel, aby do tej tmy odišla sama.

Počúvali jej chrapľavý dych. Bol to hrozný zvuk. Ale horší by bol ešte jeden. Ticho.

Ticho.

To by znamenalo, že už nie je medzi nimi.

A potom na prekvapenie všetkých babka zažmurkala a otvorila oči. Keď zbadala tých troch, usmiala sa. „Som... veľmi hladná," povedala slabým hlasom. Pohrabala sa v perinách, vytiahla niečo zabalené v potravinovej fólii a začala to rozbaľovať.

„Čo je to?" opýtal sa Ben.

„Len kúsok kapustníka," zasipela babka. „Pravdupovediac, strava je tu príšerná."

Trochu neskôr rodičia vyšli na chodbu na kávu z automatu. Ben nechcel babku nechať osamote ani na sekundu. Natiahol sa a chytil ju za ruku. Bola suchá a ľahká ako pierko.

Babka sa pomaly otočila a pozrela naň. Čas jej utekal a Ben to videl. „Vždy budeš môj malý Beny," zašepkala.

Ben sa zamyslel nad tým, ako to oslovenie predtým nenávidel. Teraz sa z neho tešil. „Viem," pousmial sa. „A ty budeš navždy moja babka gaunerka."

O čosi neskôr, keď ich babka nakoniec opustila a oni sa z hospicu vracali domov, sedel Ben potichu na zadnom sedadle rodičovského auta. Všetci boli vyčerpaní od plaču. Ulice sa hemžili ľuďmi, ktorí nakupovali vianočné darčeky, cesty boli plné áut a pred kinom stál dlhý rad. Ben nemohol uveriť, že hoci sa práve stalo niečo také smutné, život ide ďalej.

Auto odbočilo a priblížilo sa k radu obchodov.

„Môžem sa zastaviť v novinovom stánku?" poprosil Ben. „Nezdržím sa dlho."

Oco zaparkoval a Ben sa vybral do Rajovho obchodu. Jemne snežilo.

Otvoril dvere a zvonec zazvonil. BIM!

„Á, malý Ben!" vykríkol Raj. Predavač si hneď všimol smutný výraz na Benovej tvári. „Stalo sa niečo?"

„Áno, Raj," zamrmlal Ben. „Práve zomrela

moja babka." Keď to vyslovil, znova mu prišlo do plaču.

Raj vybehol spoza pultu a pevne Bena objal.

„Ach, Ben, veľmi ma to mrzí. Už som ju dlho nevidel a bál som sa o ňu."

„Len som vám chcel povedať, Raj," hovoril Ben pomedzi vzlyky, „aký som vám vďačný, že ste ma vtedy vyhrešili. Mali ste pravdu, vôbec nebola nudná. Bola úžasná."

„Nechcel som ťa hrešiť, chlapče. Len som si myslel, že si si zrejme nikdy nenašiel čas na to, aby si babku lepšie spoznal."

„Mali ste pravdu. Bolo v nej oveľa viac, ako som si myslel." Ben si rukávom utieral slzy.

Raj začal prehľadávať obchod. „Tak... niekde tu mám balíček papierových vreckoviek. Kde len sú? Aha, tu, pod nálepkami futbalistov. Nech sa páči."

Predavač otvoril balíček a podal ho Benovi. Chlapec si utrel oči.

„Ďakujem, Raj. Máš desať balíčkov papierových vreckoviek za cenu deviatich?" usmial sa.

„Nie, nie nie," chichotal sa Raj.

„Pätnásť balíčkov za cenu štrnástich?"

Raj chytil Bena za rameno. „Nerozumieš?" povedal. „Je to na účet podniku."

Ben len zízal. Raj ešte nikdy počas celej histórie ľudstva nedal nikomu nič zadarmo. To bolo neslýchané. Bolo to šialenstvo. Bolo to... keby si Ben nedal pozor, bolo by ho to... bolo by ho to rozplakalo. „Veľmi pekne ďakujem, Raj," povedal rýchlo a trochu sa zakoktal. „A-a-si by som radšej mal ísť za rodičmi. Čakajú ma vonku."

„Dobre, dobre, ale ešte chvíľu počkaj," povedal Raj. „Mám tu niekde pre teba vianočný darček."

Znova začal prehľadávať svoj preplnený obchodík.

„No, kde je?"

Benovi zažiarili oči. Darčeky miloval.

„Aha, aha, tu je, pod veľkonočnými vajíčkami. Našiel som ho!" vykríkol Raj a vytiahol balíček mentoliek.

Ben bol trochu sklamaný, ale urobil, čo sa dalo, aby to zakryl.

„Vau! Vďaka, Raj!" zahral to, ako najlepšie vedel. „Celý balíček mentoliek!"

„Nie, iba jedna," Raj otváral balíček, vytiahol mentolku a podal ju Benovi. „Boli to babkine najobľúbenejšie cukríky."

„Viem," usmial sa Ben.

34

Chodúľka

Pohreb bol na Štedrý deň. Ben predtým nikdy nebol na pohrebe. Zdalo sa mu to zvláštne. Truhla ležala pred kostolom, smútiaci si mrmlali neznáme smútočné piesne a farár, ktorý babku vôbec nepoznal, mal o nej dlhý prejav.

Nebola to farárova chyba, ale rovnako mohol hovoriť o akejkoľvek inej starenke, ktorá zomrela. Smutným monotónnym hlasom prednášal, ako rada chodila do starých kostolov a aká bola vždy milá k zvieratám.

Benovi sa chcelo kričať. Chcel vykričať všetkým,

mame aj otcovi, strýkom i tetám, všetkým prítomným, aká bola babka úžasná. Aké neskutočné príbehy rozprávala.

A najviac chcel všetkým povedať o neuveriteľnom dobrodružstve, ktoré spolu zažili, o tom, ako takmer ukradli korunovačné klenoty a ako stretli kráľovnú.

Ale nikto by mu neuveril. Mal len jedenásť rokov. Usúdili by, že si to celé vymyslel.

Keď prišli domov, väčšina ľudí z kostola prišla k nim. Pili jednu šálku čaju za druhou a jedli jeden tanier chlebíčkov a šunkových roliek za druhým. V dome bola vianočná výzdoba a v takej smutnej chvíli to vyzeralo čudne. Ľudia sa najskôr zhovárali o babke, ale čoskoro začali klebetiť aj o iných veciach.

Ben sedel sám na gauči a počúval dospelých. Babka mu odkázala všetky svoje knihy, ktoré boli

teraz na veľkých kopách v jeho izbe. Mal pokuše-
nie zavrieť sa v nej s nimi.

Po chvíli prešla pomaly cez izbu stará pani, ktorá
sa opierala o chodúľku a milo sa usmievala, a sadla
si k nemu na gauč.

„Ty si určite Ben. Nepamätáš si ma, však?" ozva-
la sa.

Ben sa na ňu chvíľu pozeral.

Mala pravdu.

„Keď som ťa naposledy videla, práve si oslavoval
prvé narodeniny."

Nečudo, že sa nepamätám, pomyslel si Ben.

„Som babkina sesternica Edna," povedala. „Keď
sme boli asi v tvojom veku, hrávali sme sa spolu.
Pred niekoľkými rokmi som spadla a nevládala
som sa o seba sama postarať, tak ma dali do domo-
va dôchodcov. Tvoja babka bola jediný človek, čo
ma tam navštevoval."

„Naozaj? Mysleli sme si, že vôbec nechodieva von," povedal Ben.

„Chodila za mnou raz za mesiac. Nebolo to pre ňu jednoduché. Musela trikrát prestupovať. Bola som jej veľmi vďačná."

„Bola výnimočná."

„To bola. Veľmi milá a starostlivá. Vieš, nemám vlastné deti ani vnúčatá, a tak som sedávala v hale domova s tvojou babkou a celé hodiny sme hrali scrabble."

„Scrabble?" opýtal sa Ben.

„Áno. Povedala mi, že aj ty ho hráš veľmi rád," povedala Edna.

Ben sa len usmial.

„Áno, hrám."

A prekvapilo ho, keď si uvedomil, že neklame. Až teraz mu došlo, že ho má rád. Teraz, keď tu už babka nie je, sa mu zdala vzácna každá chvíľka, ktorú s ňou strávil. Ešte vzácnejšia ako korunovačné klenoty.

„V jednom kuse o tebe hovorila," povedala Edna. „Tvoja milá babka vravela, že si svetlo jej života. Vraj sa vždy veľmi teší, že k nej v piatok prídeš. Bola to najkrajšia časť jej týždňa."

„Aj pre mňa to bola najkrajšia časť týždňa," povedal Ben.

„Keď máš rád scrabble, určite sa niekedy zastav v domove na partičku," pozvala ho Edna. „Teraz, keď babka zomrela, potrebujem nového spoluhráča."

„To by bolo skvelé," potešil sa Ben.

V ten večer Benovi rodičia pozerali vianočný špeciál *Let's Dance*. Ben vyliezol von oknom z izby a zliezol po odkvape. Úplne potichu si z garáže vybral bicykel a vybral sa do babkinho domu. Naposledy.

Snežilo. Sneh mu vŕzgal pod kolesami. Ben pozoroval padajúce vločky, ako ticho pristávajú na zemi, a skoro vôbec sa nesústredil na cestu. Už ju poznal naspamäť. Za posledné mesiace šiel k babke na bicykli toľkokrát, že na ceste poznal každú prasklinu a vypuklinu.

Zastal pred jej domčekom. Na streche bol snehový poprašok. Pošta ležala na kope pred domom, svetlá zhasnuté a pred domom stála tabuľa s nápisom „Na predaj", z ktorej viseli cencúle.

Ben aj napriek všetkému tak trochu dúfal, že babka bude stáť v okne.

Že sa naňho bude pozerať s tým jemným úsmevom plným nádeje.

Samozrejme, že tam nebola. Navždy odišla.

Ale nie z jeho srdca.

Ben si utrel slzu, zhlboka sa nadýchol a odbicykloval domov.

Ten neuveriteľný príbeh, ktorý jedného dňa porozpráva svojim vnúčatám, mu nikto nikdy nevezme.

Postskriptum

„Vianoce sú výnimočná časť roka," povedala krá-
ľovná. Bola samá dôstojnosť ako zvyčajne a ma-
jestátne hľadela zo starobylej stoličky v Buckin-
ghamskom paláci. Svoj každoročný prejav obča-
nom si určite starostlivo pripravila.

Mama, oco a Ben práve dojedli vianočnú večeru
a so šálkou čaju sa rozvalili pred telkou, aby si ako
každý rok jej prejav pozreli.

„Je to čas, keď sa schádzajú rodiny a oslavujú,"
prednášalo Jej Veličenstvo.

„Nezabúdajme však na starších. Pred niekoľkými týždňami som v Toweri stretla pani asi v mojom veku a jej vnuka."

Ben sa nepokojne zamrvil.

Pozrel sa na rodičov, ale tí si nič nevšimli.

„Prinútilo ma to zamyslieť sa nad tým, že by mládež mala byť k starším trochu prívetivejšia. Ak ma sledujú mladí ľudia, možno nabudúce uvoľnia starším ľuďom miesto v autobuse. Alebo im pomôžu s nákupom. Zahrajte si s nami scrabble. A čo keby ste nám z času na čas doniesli balíček mentoliek? My starší ľudia si dáme mentolku radi. Mladí ľudia tejto krajiny, v prvom rade by som chcela, aby ste si zapamätali, že my starší určite nie sme nudní. Nikdy neviete, môžeme vás dokonca aj šokovať."

A potom si kráľovná so šibalským úškrnom pred celou krajinou dvihla sukňu a ukázala boxer-

ky s anglickou zástavou. Mama a oco od úžasu vy-
prskli čaj na koberec.

Ale Ben sa len usmieval.

*Kráľovná nie je žiadne béčko, je to skutočná
gaunerka,* pomyslel si. *Ako moja babka.*

Poďakovania

Rád by som poďakoval niekoľkým ľuďom, ktorí mi s knihou veľmi pomohli.

V prvom rade chcem poďakovať nesmierne talentovanému Tonymu Rossovi za nádherné ilustrácie. Ďalej Ann-Janine Murtaghovej, skvelej šéfke oddelenia detskej literatúry vo vydavateľstve HarperCollins. Svojmu priateľovi a usilovnému redaktorovi Nickovi Lakeovi. Vynikajúcim grafikom Jamesovi Stevensovi, ktorý je autorom obálky, a Elorine Grantovej, autorke layoutu. Puntičkárskej redaktorke Lizzie Ryleyovej. Samanthe Whiteovej za skvelú prácu pri propagácii mojich kníh. Milej Tanyi Brenand-Roperovej, ktorá pripravila ich audioverzie. A, samozrejme, môjmu literárnemu agentovi z agentúry Independent, ktorý ma veľmi podporuje.

Najviac však chcem poďakovať vám, deti, že čítate moje knihy. Skutočne si veľmi vážim, že chodíte na moje autogramiády, píšete mi listy či posielate kresby. Veľmi rád vám svoje príbehy rozprávam. Dúfam, že ich pre vás vymyslím ešte viac. Čítajte aj naďalej, prospieva vám to!

Z anglického originálu David Walliams: *Gangsta Granny*, ktorý vyšiel
vo vydavateľstve HarperCollins *Children's Book*, London 2011,
preložila Michaela Hajduková.
Zodpovedná redaktorka Andrea Cséfalvay Kopernická
Editorka Katarína Škorupová
Sadzba a zalomenie ITEM, spol. s r. o., Bratislava
Tlač KASICO, a. s., Bratislava

ISBN 978-80-556-0786-3

20 19 18 17 16 15 14

www.slovart.sk